MANUALES PARA LA SALUD

Susan Albers

Comer
san

Aprende y disfruta con
las reglas de la
alimentación equilibrada

ONIRO

Título original: *Eating mindfully*
Publicado en inglés por New Harbinger Publications, Inc.

Traducción de Joan Carles Guix

Diseño de cubierta: Valerio Viano

Distribución exclusiva:
Ediciones Paidós Ibérica, S.A.
Avda. Diagonal 662 – 664, Planta Baja - 08034 Barcelona - España
Editorial Paidós, S.A.I.C.F.
Defensa 599 - 1065 Buenos Aires - Argentina
Editorial Paidós Mexicana, S.A.
Rubén Darío 118, col. Moderna - 03510 México D.F.- México

© 2007 exclusivo de todas las ediciones en lengua española:
Ediciones Oniro, S.A.
Avda. Diagonal 662 – 664, Planta Baja - 08034 Barcelona - España
(oniro@edicionesoniro.com – www.edicionesoniro.com)

ISBN: 978-84-9754-283-8
Depósito legal: B. 24.247/2007

Impreso en Grup Balmes - AM 06, A.I.E.
Av. Barcelona, 260, Pol. Ind. El Pla - 08750 Molins de Rei (Barcelona)

Impreso en España - Printed in Spain

Poco después de empezar a trabajar de terapeuta, descubrí el enorme sufrimiento que causan el hambre, el peso y la alimentación. Con este libro intentaré contribuir a evitar este sufrimiento y a proporcionar un mayor bienestar a quienes ya gozan del mismo. Así pues, dedico este libro a quienes se están esforzando por superar las consecuencias de una alimentación descuidada.

Sumario

Primera parte
La conciencia de la mente

Segunda parte
La conciencia del cuerpo

Tercera parte
La conciencia de los sentimientos

Cuarta parte
La conciencia de los pensamientos

Agradecimientos

> Una persona noble es consciente y
> sabe agradecer los favores ajenos.
>
> BUDA

La conciencia preside todas nuestras acciones, pensamientos y sentimientos. Mientras estoy escribiendo esto, soy consciente de lo difícil que me resulta expresar mi agradecimiento. Me siento abrumada por la enormidad de mi gratitud y mi incapacidad para describirla adecuadamente en unas cuantas frases. Espero que aquellos a quienes menciono sepan ya por qué son importantes para mí.

Gracias ante todo a mi familia, que me enseñó a sentir compasión por el sufrimiento, en especial por el dolor humano y de los animales. Agradezco las oportunidades que me proporcionó. Gracias a ti, Carmela, y a Tom Albers, Angie Albers; Linda, Judd y Paul Serotta. Gracias asimismo a Jane Lindquist, Jason Greif, Lynne Knobloch-Fedders, Giti Pieper, Brian Kayla, Steven Fink, Eric Lingenfelter, John Bowling y John, Rhonda y Jim Bowling. Estoy en deuda con Victoria por su amistad y ánimo diario, tanto profesional como personalmente.

Gracias a mis supervisores y colegas por vuestro ejemplo y saber hacer: doctora Victoria Gould, doctora Wendy Settle, doctora Sandra Rhodes, doctor Tony Bandele, doctora Sally Spencer-Thomas, doctora Sue Steibe-Pasalich, doctora Savannah McCain, doctora Trudie Heming y doctor Noga Niv. También me gustaría expresar mi agradecimiento a New Harbinger Publications, y en particular a mis editoras Kayla Sussell y Catharine Sutker.

Gracias por último a mis pacientes, que me han bendecido con su confianza y generosidad, compartiendo conmigo sus estrategias de alimentación consciente.

Introducción

Es muy común comer de un modo incontrolado, «inconsciente» y desequilibrado. Si en alguna ocasión has seguido tomando bocaditos aun después de sentirte saciado, rebajado la ingesta de calorías a pesar de tener hambre o te has dejado llevar por un sentimiento de culpabilidad al guiar tu dieta, sin duda has experimentado en carne propia una alimentación inconsciente. Desengañémonos, decidir lo que hay que comer es muy difícil, tanto que en Estados Unidos los trastornos derivados de la alimentación y la obsesión por el peso han alcanzado dimensiones epidémicas, con graves consecuencias para la salud en una gran parte de la población.

¿Qué convierte una actividad tan cotidiana como comer en un proceso tan abrumador? La respuesta a esta pregunta es, desde luego, compleja, y a lo largo de este libro volveremos a ella en repetidas ocasiones para darle algunas respuestas. Pero la clave es ésta: una alimentación sana y sensata, y elegir alimentos sanos, propician el trabajo conjunto de cuerpo y mente para modelar las pautas básicas acerca de lo que necesitas y lo que quieres comer. Estas pautas facilitan información en relación con «cuánto» y «qué» comer. Las sensaciones y emociones que señalan cuándo estás saciado, hambriento o simplemente deseas comer algo delicioso son una compleja combinación de sentimientos corporales y emocionales, y si te muestras atento y sensible a estas claves, tu alimentación será sana, controlada y convenientemente regulada.

Someter a dieta el cuerpo porque te disgusta su aspecto resulta increíblemente perjudicial para el bienestar emocional, mental y físico, pues inhibe la capacidad de decodificar con cuidado los mensajes y el *feedback* corporal. Una dieta alimentaria inconsciente es algo parecido a cortar con un cuchillo la única vía de comunicación con el cerebro, sesgando hasta tal punto el conocimiento de una comida sana que acabas no teniendo la menor idea de lo que estás comiendo. Una alimentación incontrolada se manifiesta de dos formas: puedes «obsesionarte» o «ignorar» el *feedback* interior del cuerpo y la mente en lugar de responder sensatamente a la sensación de hambre y preocuparte por tu salud.

En este libro aprenderás en qué medida la inconsciencia y el desconocimiento vician tu modo de comer, su manifestación en diferentes formas de trastornos de la alimentación y por qué la «conciencia», como concepto opuesto a la «inconsciencia», te puede proporcionar valiosas técnicas para controlar tu forma de comer.

¿Qué es una alimentación consciente?

Entre otras muchas cosas, una alimentación consciente incluye la sensación de salado que queda en los dedos al comer patatas fritas, y luego el sabor a sal en la lengua. Es prestar atención al crujir de cada mordisco y al ruido que producen al masticarlas.

Cuando comes conscientemente patatas fritas, te das cuenta de su textura rugosa al rozar la lengua y la presión de los dientes al triturarlas. Sientes la saliva humedeciendo las patatas y cómo se llena la parte posterior de la garganta mientras el alimento previamente masticado se desliza hacia abajo. Una alimentación consciente es sentir la comida en el estómago y experimentar el placer de haberla ingerido. Si estás alerta, notas que el estómago se expande y te sientes cada vez más lleno a medida que vas comiendo. Experimentas cada bocado de principio a fin, ralentizas cada elemento del proceso de comer hasta ser plenamente consciente de sus diferentes partes y sentirte vinculado a ellas.

Éste es sólo un pequeño ejemplo de la alimentación consciente, y a medida que vayas leyendo descubrirás muchos más. El mensaje principal a tener en cuenta a lo largo de los capítulos es que la clave para cambiar la forma de comer no consiste en disciplinar el tenedor, sino en aprender a controlar la mente, lo cual se puede hacer analizando y comprendiendo tus pautas alimentarias, tus estados de ánimo y las diferentes sensaciones de apetito en lugar de persistir en los pensamientos habituales y al deseo de comer incontroladamente.

La finalidad de la alimentación consciente es conocer todos y cada uno de los aspectos que definen el hambre, y para ello, familiarizarte e interiorizar todos los elementos de las intrincadas reacciones del cuerpo y la mente en relación con la comida y el proceso de comer. Los ejercicios de este libro están destinados a ayudarte a desarrollar los instrumentos necesarios para saber cómo debes alimentarte de un modo controlado y proporcionan estrategias para adoptar una posición consciente ante los alimentos que te permita, sin juzgarte a ti mismo ni cambiar tu necesidad de alimentarte, conocer las pautas de tu apetito en todo momento. Comer con la mente despejada te ayudará a evitar una alimentación excesiva, la ingesta escasa de productos sanos y el consumo de alimentos no deseados.

¿Qué causa los trastornos de la alimentación?

Un consumo incontrolado de alimentos no es la «causa» subyacente de los trastornos de la alimentación, sino el «resultado» de una variedad de otras complejas cuestiones relacionadas con el cuerpo y la mente. Una alimentación inconsciente es a menudo el nivel superficial o el signo visible de que hay que tratar otras necesidades. Así, por ejemplo, la baja autoestima, los problemas de imagen corporal, un metabolismo aletargado, la ausencia de control y equilibrio, y el valor social y cultural de la delgadez, además de comer desmesuradamente a causa de trastornos emocionales contribuyen, todos ellos, al desarrollo de una alimentación inconsciente y a la introducción de «dietas» desequilibradas.

En los casos de ingesta alimentaria gravemente problemática, las incidencias son fruto de una combinación de factores biológicos (sensibilidad/temperamento, niveles bajos de serotonina), trastornos del estado de ánimo (depresión, ansiedad, trastorno obsesivo-compulsivo), factores psicológicos (perfeccionismo y otras características de la personalidad), experiencias precoces traumáticas (abusos sexuales, divorcio, muerte), factores familiares (cuestiones de control, sentimientos de abandono o desprecio, conflictos) e influencias de los medios de comunicación (cultura obsesionada con el aspecto físico, modelos «etéreas»).

Este libro está destinado a ayudarte a abordar la diversidad de factores que contribuyen a una alimentación inconsciente y a encontrar estrategias para controlarla. También te ayudará a curar los factores subyacentes que provocan la ingesta excesiva de alimentos y, por el contrario, la infraalimentación incontrolada. ¿Qué relación tienen tus problemas de alimentación con los de otras personas? ¿Cómo puedes saber que tus hábitos en el comer son un verdadero «problema»? ¿Necesitas la ayuda adicional de un profesional? Preguntas interesantes que deben hacerte sentir satisfecho si alguna vez te las has formulado, pues significa que estás «presente» contigo mismo y preocupado por la salud y bienestar.

Puedes usar este libro para evaluar la intensidad de tus trastornos alimentarios. A medida que vayas leyendo, sé consciente de tus reacciones. Si lees detenidamente el contenido de este libro y llegas a la conclusión de que los ejercicios propuestos no dan resultado, también es una información útil. También puede ocurrir que te identifiques con los temas expuestos. Si no te sientes identificado con los ejemplos o tus acciones son mucho más intensas, aprovecha estas observaciones y sácales partido en tu favor. Podrían indicar la necesidad de recurrir a una ayuda profesional más personalizada. Al afrontar cualquier tipo de problema, es usual que la gente esté en diferentes estadios de predisposición a adaptar su comportamiento. Es posible que tú estés completamente preparado para introducir algunos cambios en tu vida o que necesites una ayuda más personalizada con la asistencia de un profesional que te inicie en el proceso de cambio.

Cómo usar este libro

Si tienes la sensación de estar comiendo de un modo inconsciente, te describirías como un aficionado crónico a las dietas o comes más o menos de lo que se considera normal, sigue leyendo aunque inicialmente no te sientas identificado con los ejemplos. Cabe la posibilidad de que te resulte útil leer todo el libro antes de empezar con los ejercicios. Recuerda que algunos de ellos pueden ser para ti más apropiados que otros.

Si crees que tus pautas de alimentación son más problemáticas o que sufres trastornos alimentarios más graves, este libro también puede ser un recurso excelente. No es ni una forma económica de terapia ni un sustituto del consejo profesional. Sin embargo, puede constituir un valioso añadido a un tratamiento continuado. Comenta los ejercicios con un terapeuta o médico especializado en trastornos de la alimentación para decidir cuáles serían los más adecuados para ti.

Con frecuencia, la persona cree que debería ser capaz de «hacerlo por sí misma», y buscar ayuda profesional se considera, de algún modo, un signo de fracaso o debilidad. No me cansaré de insistir en que esto no es así. Admiro la fuerza y el valor que requiere buscar ayuda externa. Significa que cuidas de ti y que hay algo en tu interior que merece ser nutrido y protegido. Buscar ayuda indica que quieres vivir una vida en plenitud y deseas hacer el camino de la mano de otro ser humano para asegurar tu bienestar. Es sin duda alguna una posición consciente, abierta y receptiva a toda experiencia. La posición que precisamente fomenta este libro, con la esperanza de ofrecerte tantos instrumentos como sea posible que contribuyan a adoptarla.

Los cuatro fundamentos de la conciencia

Los cuatro fundamentos de la conciencia son un aspecto importante de las enseñanzas de Buda. De joven, Buda descubrió que dominar la alimentación consciente era esencial para el crecimiento espiritual. Había nacido en el seno de una familia real, y de niño siempre comía los alimentos más suculentos y deliciosos que la India podría ofrecer. Y engordó a causa de tantos festines. Asimismo descubrió, con el tiempo, que los placeres de los que disfrutaba en la corte no le aseguraban la felicidad ni lo protegían de la tristeza. De manera que cuando abandonó su vida real para ir en busca de la iluminación y una cura para sus sufrimientos, probó el ayuno. Pero la escasez en el consumo de alimentos lo debilitó, enfermó, perdió concentración y desde luego no lo aproximó a la solución del enigma del sufrimiento. ¿Qué aprendió Buda de sus días de ayuno y hambruna? Pues que tanto demasiado alimento como demasiado poco eran perjudiciales para la salud y el bienestar. El control, el equilibrio y la comprensión de las necesidades únicas de tu cuerpo son esenciales para gozar de una vida sana y feliz.

Comer conscientemente no significa vigilar más la selección de los alimentos ni contar una a una la ingesta calórica. Esto es lo que se considera «dietética», un enfoque de la alimentación que no se defiende en este libro. Comer conscientemente es más complejo. Usa los «cuatro fundamentos de la conciencia» a modo de guía para prestar atención a las señales del cuerpo y la mente antes, durante y después de cada comida. La alimentación consciente urge a investigar y a comprender los apetitos y sentimientos corporales, y a cambiar constantemente los estados mentales durante cada interacción con la comida. Cuando comes conscientemente emergen a la superficie todas las fuerzas inconscientes y enterradas que dictan cómo comes para que la mente pueda examinarlas y empezar a modificarlas.

¿Qué es el hambre?

El hambre es una urgencia biológica provocada por complejas interacciones entre las respuestas fisiológicas ante la comida, las emociones antes, durante y después de comer, y los pensamientos acerca del propio cuerpo y de uno mismo, conjuntamente con la constante evolución de los estados de ánimo, deseos y necesidades nutricionales. Tener que hacer frente a tantas y tan cambiantes variables es una de las razones de que el acto de comer sea inconsciente.

Por ejemplo, cuando estás triste o aburrido, es más probable que ingieras alimentos deliciosos y saciadores en abundancia. Si tienes hambre, pero te avergüenza tu cuerpo, tal vez prefieras ignorar las necesidades corporales aunque pases hambre. Dominar los elementos de la alimentación consciente requiere cultivar un conocimiento y una comprensión más profundos de ti mismo y de tus hábitos alimentarios.

Este libro se divide en cuatro partes, cada una de las cuales explora detenidamente uno de los cuatro fundamentos del comer consciente y ofrece ejercicios para adaptarse y cambiar su impacto en la alimentación. Cuando estos cuatro fundamentos son inconscientes, ejercen un asombroso control y poder sobre la forma en la que te nutres.

Los cuatro fundamentos los describe Buda en el *Satipatthana Sutta*, el Gran Discurso sobre los Cuatro Fundamentos de la Conciencia. Los Constructores de Habilidades son ideas contemporáneas destinadas a ayudar a quienes comen incontroladamente a adquirir una conciencia contemplativa de los cuatro fundamentos en relación con la alimentación. Estas categorías destacan la importancia de aspectos del Yo que han sufrido daños a causa de una dieta desequilibrada.

Los cuatro fundamentos de la alimentación consciente son:

- *Conciencia de la mente*: incluye ser consciente de los múltiples aspectos de la mente: los pensamientos (que pueden estar presentes como palabras o imágenes conscientes), los recuerdos y los deseos y miedos inconscientes (o subconscientes). Es, básicamente, el estado de la conciencia y el nivel de atención. En diferentes momentos tu mente puede estar distraída, inquieta, adormecida, aferrada al pasado, obsesionada, dispersa, vigilante o a la defensiva entre otros muchos estados del ser. Estos estados son pasajeros, cambiando de un momento a otro, pero crean un fondo para la comprensión y la filtración de la forma de ver el mundo.

- *Conciencia del cuerpo*: incluye ser consciente de la mayor cantidad posible de procesos corporales de que seas capaz, como por ejemplo, ¿qué sensación produce el hambre?; experimentar cómo se perciben los alimentos en la garganta y la sensación de tragarlos; observar cómo reacciona el cuerpo en la digestión, así como la respuesta del estómago y la mente cuando el proceso digestivo ha finalizado. Es, en suma, comprender que la respiración, los movimientos, las sensaciones y las posturas están impulsados por la alimentación.

- *Conciencia de los pensamientos*: como hemos dicho anteriormente, los pensamientos pueden emerger en forma de palabras o imágenes. Pueden ser una especie de cintas de audio subliminales que reproduce la mente una y otra vez sin que seas consciente de ello. Cuando eres consciente de tus pensamientos, los pensamientos negativos dejan de ejercer su poder sobre ti.

- *Conciencia de los sentimientos*: al igual que los pensamientos forman parte de la mente, también las emociones forman parte del cuerpo. El cuerpo siente emociones o sensaciones, y transmite al cerebro la información acerca de lo que siente. Cada persona experimenta la misma emoción de diferente manera y en distintas partes del cuerpo. Por ejemplo, hay quienes sienten la tristeza como un vacío en el estómago y comen en exceso para intentar «llenarlo», mientras otros experimentan el miedo como una forma de corriente eléctrica que pasa a través del cuerpo, y otros en fin, lo sienten como si se tratara de calor irradiando desde el pecho.

Cuando practicas la alimentación consciente, comprendes mejor cómo y en qué estás pensando, y cómo y qué estás sintiendo. Tus pensamientos y sentimientos, en especial los corporales, son protagonistas en cómo y qué comes. A mayor conciencia de los pensamientos y sentimientos en relación con la alimentación, mayor es la capacidad de comer bajo control.

Conciencia de la mente

Es difícil para mí saber cuándo «debo» o «necesito» comer. Mis hábitos de alimentación están sujetos a innumerables factores. En el trabajo tomo tentempiés que traen mis compañeros simplemente porque están allí y no quiero parecer descortés. Otras veces me contengo, pues me pregunto si los demás no estarán criticando mi exceso de peso. He aprendido a contenerme y preguntarme: «¿Tengo hambre en este momento?». Procuro estar atento y observar qué es lo que me incita o retiene de comer en aquel preciso instante.

EMILY

El flujo del estado de la mente cambia constantemente. El deseo de comer es un estado «fugaz» de la mente que se altera rápidamente segundo a segundo. La conciencia de la mente te lleva a prestar atención a la fluidez de tus pensamientos, tus emociones, y lo que es más importante, tu hambre. En lugar de reaccionar inmediatamente al lugar en el que está tu mente en el momento presente, te contienes y evalúas si realmente estás hambriento o no, y examinas los factores sociales y estados de la mente que influyen en tus decisiones acerca de si debes o no comer, y qué comer.

Conciencia del cuerpo

Mi cuerpo me indica claramente cuándo estoy hambriento y cuándo estoy saciado. Con el gruñir del estómago, mi cuerpo me está diciendo que tengo hambre, y sé que he esperado demasiado a comer. Si como demasiado, mi cuerpo se queja y me castiga con abotargamiento, pesadez y malestar. Presto mucha atención y respondo a las exigencias de mi cuerpo desde el principio, a lo que hace que me sienta alegre y con energía, y esto me permite saber qué me gustaría comer.

MOLLY

La conciencia del cuerpo está presente en cada aspecto de tu cuerpo interior y exterior. Por ejemplo, significa prestar atención a la forma en la que te mueves, en la que ves y tocas la comida, y significa también observar los aspectos vitales que no puedes ver y que con frecuencia das por sentado, como la respiración. La conciencia del cuerpo fomenta el reconocimiento de las múltiples funciones esenciales del organismo y escuchar tanto al cerebro como al cuerpo, que se intercambian señales continuamente y emiten un importante *feedback* fisiológico acerca de estar hambriento o saciado, el nivel de energía, los estados de ánimo y las necesidades de nutrición. La meditación y los ejercicios de respiración y relajación ayudan a comprender y traducir las señales corporales.

Conciencia de los pensamientos

> Mi crítica personal es eminentemente cerebral. Podría sonreír mientras tomo otro pastelito, pero mi cerebro me está diciendo: «No puedes comer esto; ya estás saciado». Cuando soy consciente de mis pensamientos, los analizo más detenidamente para saber qué creencias son realistas y cuáles son simple fruto de pensamientos irracionales, juicios y sentimientos de inseguridad acerca de mi aspecto físico.
>
> HEIDI

Al igual que las emociones, los pensamientos influyen decisivamente en el deseo de comer, la urgencia de ingerir alimentos, el hambre y la sensación de saciedad. Es posible que se produzca un diálogo en silencio en tu cerebro que medie en las interacciones con la comida, una voz que diga: «Come esto» o «No comas aquello», aportando razones que lo justifiquen. En ocasiones, los pensamientos que dictan las pautas de alimentación son claros, pero en otras pueden ser sutiles, incluso subconscientes. Quienes comen conscientemente se ven especialmente afectados por sus propios pensamientos evaluadores, críticos, duros y culpabilizadores.

Una persona consciente de su alimentación presta atención a las deliberaciones que influyen en el apetito. Aumentar la conciencia de la corriente interna de pensamientos saca a la superficie tu voz interior que dicta el comportamiento alimentario. La conciencia de los pensamientos ilustra cómo tu cerebro filtra la información entrante y la traduce en pensamientos tales como «Me siento satisfecho de no haber comido esto» o «Me siento mal» o «Estoy gordo» en el lenguaje del comportamiento.

Conciencia de los sentimientos

A menudo busco alimentos de «confort» que, engañosamente, hacen desaparecer casi inmediatamente mi estrés. Cuando soy consciente de ello, opto por meditar acerca de lo que me impulsa a buscar ese confort. Sé que una barrita de chocolate me hará sentir bien en este preciso instante, pero también considero si, más tarde, mi estado de ánimo empeorará a causa de un sentimiento de culpabilidad. No permito que mis sentimientos se ocupen por sí solos de lo que como.

ANDREW

La alimentación y los sentimientos están profundamente entretejidos. Al igual que en el clásico «¿Qué fue primero, el huevo o la gallina?», comer provoca sentimientos (placer, saciedad, confort), y los sentimientos (aburrimiento, estrés, dolor, soledad) a menudo instigan el consumo de alimentos o invitan a no comer. Emociones tales como la vergüenza, la tristeza o sentirse fuera de control son muy importantes a la hora de desaprovechar posibles hábitos de comida sana. Por esta razón, comprender la relación entre tus estados de ánimo y tu apetito es esencial para adquirir control.

La conciencia en la vida diaria

La conciencia es una forma de pensar y de ser en el mundo que cuenta con muchos siglos de antigüedad y que ha sido adoptada de las prácticas budistas de la meditación. Su objetivo es participar en el momento presente en un estado de completa alerta de los comportamientos, sensaciones corporales y experiencias. Es un enfoque de la vida de «Estar aquí y ahora». Significa apreciar quién eres en este preciso momento y dejar de sentir nostalgia por lo que no tienes en este mismo instante. ¿Cuántas veces has deseado o has soñado en tener un cuerpo más estilizado olvidando valorar y vivir en el que realmente tienes?

Cuando estás en un estado de conciencia, no te juzgas a ti mismo ni intentas cambiar quién eres, sino que simplemente eres más «consciente» de tu Yo y de tu interrelación con el mundo. Un estado de conciencia acepta la experiencia, tanto positiva como negativa, tal como es en el momento en el que se produce. ¿Por qué es tan importante ser consciente? Porque es el acto de negarse a desperdiciar los únicos momentos preservados de tu vida.

Demasiado a menudo cambiamos a una forma de ser de «piloto automático», y como tal, reaccionamos y nos comportamos automáticamente y sin pensamiento consciente. El ejemplo más común de este tipo de comportamiento se produce al conducir o leer. De pronto «despiertas» y te das cuenta de que te diriges al trabajo, no a tu casa. Acabas de pasarte la salida de la autopista. O no recuerdas lo que has leído en las tres últimas páginas del libro. Son banderas rojas que indican la presencia de inconsciencia.

¿Por qué es negativo actuar de un modo inconsciente? Pues porque los comportamientos y pensamientos que escapan a la conciencia continúan, y aspectos de ti mismo que te desagradan persisten inadvertidamente.

Si tienes hábitos de alimentación inconscientes, seguirán siendo tal cual son a menos que tomes conciencia de cada uno de sus más sutiles matices. Sin embargo, cuando están en tu consciente, puedes pensar en opciones creativas para cambiarlos. Adquirir conciencia es el primer paso hacia el control. La conciencia te permite considerar toda la gama de alternativas sanas que tienes a tu disposición.

En este preciso instante, mientras estás leyendo, estás siendo consciente. Para leer y comprender los capítulos tienes que desconectar el piloto automático y pasar a navegación manual, prestando atención a las palabras en cada página. Tal vez estés sintiendo el peso y la textura del libro en las manos o quizá pensando en tus reacciones al leer. Así de fácil es ser consciente.

Cómo cura la conciencia

El término «conciencia» se acuñó en el siglo VI, durante la vida de Buda, y cuando el budismo se extendió por toda Asia y se adaptó a las costumbres y necesidades de diferentes países, la práctica de la conciencia siguió siendo un concepto fundamental. El uso continuado y la popularidad de las prácticas de conciencia hoy en día atestiguan su atemporalidad y el valor de su poder curativo. La conciencia es un instrumento que previene la enfermedad física y fomenta la rehabilitación y sanación, además de ser un tratamiento eficaz para los trastornos de salud mental.

Conexión mente-cuerpo

En la actualidad, en Occidente, la conexión mente-cuerpo ha sido muy bien documentada y profundamente investigada. No es un secreto que la curación y el tratamiento de la mente es esencial para la salud del organismo. La conciencia se utiliza conjuntamente con tratamientos médicos para patologías tales como el cáncer, sida, ansiedad, estrés, depresión, dolor crónico y trastornos del sueño.

Las razones biológicas son simples. Al combatir una enfermedad, el sistema inmunológico del organismo usa todos sus recursos para abordar el problema. Cuando sientes dolor, ya sea emocional o físico, la tendencia natural es luchar contra ese malestar. No obstante, negar y resistirse a reconocer los dolores y sufrimientos aumenta el nivel de estrés y consume recursos de energía que, de lo contrario, se podrían utilizar para curar el origen de la dolencia.

En lugar de combatir el dolor, los tratamientos de conciencia enseñan a reconocer las sensaciones dolorosas y a abordarlas minuto a minuto. Supongamos, por ejemplo, que sufres de un intenso dolor de espalda. En lugar de enojarte o irritarte, puedes observar la fuente, analizarla e identificar las áreas del dolor con ejercicios específicos de relajación. Atiendes el presente, sin obsesionarte en cómo era tu vida antes de experimentar el dolor o cómo te las ingeniarás para seguir viviendo, día a día, con ese sufrimiento a cuestas. Te dedicas a enfrentarte al dolor momento a momento.

Curar la mente

Cuando estás estresado o sufres un dolor emocional, la inmunidad natural del organismo disminuye. Si lo que te preocupa es el peso o la forma incontrolada de comer, puedes pasar la mayor parte del tiempo reaccionando y lamentándote del sufrimiento que te causa ese problema en lugar de abordarlo directamente. Sin embargo, resistirte a todo signo de pesar limitará aún más si cabe tu capacidad para superar el estrés.

Hay mucho que aprender del sufrimiento. El dolor emocional puede ayudarte a crecer abriendo los ojos a lo que no te gusta y a cómo te gustaría ser. La reflexión es uno de los dones más valiosos que puede ofrecer la conciencia. Concentrarte en el aquí y ahora, sin distracciones, te capacita para tomar decisiones y explorar libremente nuevos caminos hacia la felicidad.

Los psicoterapeutas han empezado a descubrir los beneficios y el poder curativo de la conciencia. Actualmente, el entrenamiento en la conciencia se utiliza para tratar la depresión, el estrés, los trastornos de la personalidad, el consumo de drogas y alcohol y la adicción sexual entre otras muchas cosas (Alexander, 1997; Hayes y otros, 1999; Kabat-Zinn, 1990; Linehan, 1993; Thich Nhat Hanh, 1990; Zindel y otros, 2001).

Una perspectiva consciente sugiere que la sanación empieza con el reconocimiento y la aceptación compasiva de que algo en la vida te está provocando sufrimiento. En lugar de enojarte e irritarte por el dolor emocional o intentar aliviar el estrés mental, aprendes a recanalizar la influencia que el dolor y el estrés están ejerciendo en tu vida. Esta perspectiva ha ayudado a muchas personas a superar condiciones de sufrimiento extremo, como en el caso de las enfermedades crónicas, que al principio parecían abrumadoras y fuera de control.

Existe un notable solapamiento entre la conciencia y las técnicas de comportamiento cognitivo. Durante años los terapeutas han considerado la terapia cognitiva del comportamiento (intervenciones que abordan comportamientos y pautas desordenados) como una de las formas de terapia más satisfactorias para el tratamiento de determinados trastornos de la alimentación, y recientemente han empezado a comprender la utilidad de la conciencia en el desarrollo de pautas de alimentación disciplinadas y controladas (Marcus y McCabe, 2002; Wiser y Telch, 1999). Estos investigadores y clínicos han aprovechado los métodos de meditación budistas y los han combinado con su propio lenguaje psicológico y sus complejos tratamientos.

El enfoque utilizado en este libro es único, pues describe una variedad de técnicas budistas de la conciencia fáciles de comprender que te pueden ayudar a cambiar y sanar. Este enfoque se basa en los cuatro fundamentos de la conciencia a los que nos hemos referido anteriormente: conciencia de la mente, conciencia del cuerpo, conciencia de los pensamientos y conciencia de los sentimientos.

¿Comes conscientemente?

Este libro va destinado a quienes tienen problemas con su peso o que se sienten incapaces de controlar lo que comen, es decir, quienes se alimentan inconscientemente. Las siguientes categorías describen cuatro tipos de personas que comen de este modo: el dietético crónico inconsciente, el infraalimentado inconsciente, el sobrealimentado inconsciente y el caótico inconsciente.

Muchas personas han tenido que enfrentarse a alguna versión de alimentación inconsciente genérica en diferentes momentos de su vida, ya sea en la infancia, adolescencia, durante una relación sentimental o después de haber dado a luz. En este libro nos referiremos a ellas como «dietéticos crónicos inconscientes».

Los demás tipos de alimentación inconsciente a menudo suponen una mayor dificultad a la hora de solucionar estos problemas que en el caso de los dietéticos crónicos. Comer demasiado o demasiado poco y los problemas crónicos de la alimentación o los simples trastornos alimentarios suelen ir acompañados de otros problemas psicológicos que requieren un alto nivel de conciencia y dedicación para introducir cambios o transformaciones.

Si las situaciones que se describen en los apartados siguientes te resultan familiares, es probable que estés experimentando algún tipo de trastorno de la alimentación. No obstante, conviene recordar que cada cual es único. Las personas pueden mostrar similitudes en sus hábitos alimentarios, pero las características y las expresiones específicas de una alimentación inconsciente dependen de las experiencias en la vida, la cultura y la familia. De ahí que no necesites identificarte con todas las características enumeradas. Lo más probable es que lo hagas con algunos aspectos de cada tipo de alimentación inconsciente.

Dietético crónico inconsciente

Tras haber dado a luz a su primer hijo, Alex aumentó 10 kg de peso y decidió probar religiosamente una infinidad de dietas bajas en grasa y buscar mil y un trucos dietéticos para «adelgazar». Durante los dos años siguientes no compró ropa nueva. Quería esperar hasta recuperar su peso anterior y poder usarla de nuevo. Soñaba con un vientre liso y enfundándose en un vestido negro sexy y ceñido. Ni que decir tiene que erradicó por completo el azúcar, las grasas y los hidratos de carbono de su dieta, y en ocasiones incluso ayunaba. Siguiendo una de tantas «dietas milagrosas», llegó a no comer nada excepto sopa de col. Perdió un par de kilos, pero pronto los recuperó.

Lo peor de aquellas dietas era su absoluta falta de realismo en términos de su estilo de vida. Cuando reducía la ingesta de hidratos de carbono, no podía comerse el pequeño sándwich a media mañana. Asimismo, no tardó en darse cuenta de que no podía vivir sin la pasta y los bollitos. Y si optaba por el enfoque libre de grasas, comía más y se sentía menos satisfecha. También tenía dificultades para encontrar alimentos sin azúcar que camuflaran el sabor de los productos sin grasa.

Todas las dietas carecían de sentido y siempre estaba «cayéndose del vagón» al mínimo desliz, y cuando montaba de nuevo en él, los demás se quejaban de que no podían invitarla a su casa porque nunca sabían qué comida sería la más apropiada para ella. Por otra parte, su conversación era obsesiva y tediosa, criticándose constantemente cuando «charlaba» acerca de su dieta.

Características del dietético crónico inconsciente

Mente

- Vigilante en relación con la ingesta de alimentos, sometiendo las etiquetas de los envases a un severo análisis.
- Distingue entre comida «buena» y comida «mala».
- La selección de los alimentos depende de la esperanza de perder peso y no de la salud.
- Come muchísimo antes de empezar una dieta y cree que va a tener suficiente con un corto período de tiempo.

Cuerpo

- Se enzarza en un combate dietético de yo-contra-yo, lo que provoca un constante aumento y pérdida de peso, muy perjudicial a largo plazo.
- Se somete a dieta perpetuamente y prueba todos los trucos habidos y por haber para perder peso.

- La reducción de grasas alcanza niveles insanos.
- No presta atención a los deseos de su cuerpo.

Pensamientos
- Acumula una extraordinaria información sobre calorías, porciones alimentarias y trucos dietéticos.
- Ignora las necesidades orgánicas en términos de nutrientes.
- Está convencido de que debe conseguir un peso «ideal».
- Habla y piensa en la comida con frecuencia.
- Piensa más en el valor calórico de los alimentos que en la experiencia de disfrutarlos.

Sentimientos
- Se siente obeso y desaprueba o le disgusta su cuerpo.
- Experimenta fluctuaciones en el estado de ánimo basadas en su comportamiento alimentario.
- Se siente culpable cuando «infringe la dieta».
- Examina el cuerpo de los demás y se mira al espejo muy a menudo.
- Tiene la sensación de estar engañándose cuando come algo que no forma parte de su dieta.
- Tiene dificultades para aceptar la forma de su cuerpo y ansía tener la de otra persona «modelo».

Infraalimentado inconsciente

Los problemas de alimentación de Fiona empezaron en secundaria, cuando fue la primera niña de su clase en alcanzar la pubertad. El rápido aumento del volumen de los senos y los cambios en su cuerpo la irritaban sobremanera. Llevaba prendas muy holgadas para evitar los comentarios de los demás y concentraba toda su atención en su nueva y sinuosa silueta.

De adolescente, Fiona se obsesionó con la alimentación. Se negaba a añadir leche en el café si no era desnatada y utilizaba endulzantes artificiales con los cereales para evitar las diez calorías extra del azúcar. Comer un puñado de patatas fritas la sumían indefectiblemente en una espiral de culpabilidad durante el resto del día. Al imaginar que los demás evaluaban y juzgaban lo que comía, le resultaba extremadamente difícil comer en presencia de otras personas. Sus amigos y familiares no se cansaban de fastidiarla constantemente diciéndole que parecía «demasiado delgada». Incluso actuaban a modo de «policía alimentaria» y le decían lo que debía y no debía comer. Pero independientemente de lo que todos le decían acerca de lo «dolorosamente» delgada que estaba, Fiona seguía sintiéndose gorda y no disfrutaba comiendo.

Características del infraalimentado inconsciente

Mente
- Restringe la ingesta de alimentos o elimina grupos enteros de alimentos, tales como carne roja, queso o derivados del trigo.
- Desarrolla rituales relacionados con la alimentación o tiene hábitos alimentarios estrictos y repetitivos, como por ejemplo, comer sólo alimentos congelados o hacerlo a la misma hora cada día.
- Es extremadamente perfeccionista.

Cuerpo

- Experimenta un descenso de peso significativo.
- Tiene un metabolismo lento (su cuerpo quema los alimentos muy despacio).
- Experimenta diferentes consecuencias físicas, tales como un descenso en el ritmo cardíaco y la temperatura corporal, interrupción del ciclo menstrual, etc.
- Se siente amodorrado la mayor parte del tiempo, tiene problemas de concentración y escasa energía.

Pensamientos

- Le preocupa su aspecto físico.
- Se siente obeso o tiene una imagen negativa de su cuerpo a pesar de que los demás le digan que no lo está.
- Determina su valía personal por el peso.
- Sigue pautas de pensamiento inflexibles: sí o no, blanco o negro.
- Emite constantes juicios críticos acerca de su peso y de sí mismo.

Sentimientos

- Se siente gordo, desaprueba y le disgusta su cuerpo.
- Experimenta intensas fluctuaciones en el estado de ánimo basadas en el comportamiento alimentario.
- Se siente culpable cuando «infringe la dieta».
- Examina el cuerpo de los demás y se mira al espejo muy a menudo.

- Tiene la sensación de estar engañándose cuando come algo que no forma parte de su dieta.
- Tiene dificultades para aceptar la forma de su cuerpo y ansía tener la de otra persona «modelo».

Sobrealimentado inconsciente

Jessie se describía a sí misma como una niña «regordeta», al tiempo que los demás niños la llamaban directamente «gorda». En su casa, la alimentación era un grave problema. Su padre, un superviviente del Holocausto que había experimentado los efectos de la hambruna, la animaba a comer tanto como fuera posible, y la mayor expresión de amor de su madre italiana consistía en preparar frecuentes, copiosas y elaboradas comidas. La familia solía sentarse a la mesa para comer en silencio. Comían mucho más de lo que hablaban.

De adulta, Jessie intentaba desesperadamente comer con «normalidad». Describía su apetito como «voraz» e «insaciable». Engullía pasteles, cajas de galletas, dulces, bollitos y helados. Se prometió hacerlo sólo en el postre o como tentempié, pero la verdad es que podía zamparse un pastel entero en una noche sin pestañear, y a menudo lo hacía. Comer una galleta era peligroso, porque se sentía incapaz de parar hasta que había terminado la caja. Su alimentación podía considerarse «buena» a menos que hubiera tenido un día aciago en el trabajo, en cuyo caso, por la noche, comer hasta la saciedad la ayudaba a sentirse mejor y a no lamentarse de sus sentimientos de ineptitud. Ni que decir tiene que después de la comilona se sentía terriblemente culpable.

Características del sobrealimentado inconsciente

Mente

- Sabe que come incontroladamente.
- Está convencido de que es incapaz de parar de comer.
- Experimenta ansias incontenibles de comer.

Cuerpo

- Come más de la «media» durante un determinado período de tiempo.
- Come, mastica y traga rápidamente, aumentando y perdiendo peso constantemente.
- Tiene la tensión arterial alta, se fatiga, tiene problemas respiratorios, un elevado nivel de colesterol, etc.

Pensamientos

- Se siente saciado, pero sigue comiendo, y evita las balanzas o las conversaciones acerca del peso o la pérdida de peso.
- Cree que el peso está asociado al éxito y al fracaso.
- Se muestra extremadamente crítico consigo mismo y con su peso.

Sentimientos

- Le preocupa y disgusta su hábito de sobrealimentación.
- Se siente tan avergonzado que procura comer poco en público, pero grandes cantidades cuando está solo.

- Se siente como un marginado social a causa del sobrepeso.

Caótico inconsciente

Sam reconoció por primera vez la gravedad de sus pautas alimentarias inconscientes compartiendo habitación con su compañero Jim, que había descubierto que le robaba su comida y arrasaba su reserva de barritas de chocolate cuando se marchaba del apartamento. Para disimular sus hurtos, Sam se apresuraba hasta la tienda de dulces y compraba otras para sustituirlas con la esperanza de que su compañero no se diera cuenta. Pero un día lo descubrió.

Mientras comía las barritas, se repetía una y otra vez que tenía que parar, pero a pesar de todo seguía atiborrándose. Terminada la caja, se sentía fatal y realizaba un intenso ejercicio físico intentando compensar la ingesta.

Tenía miedo a iniciar una relación sentimental por temor a que su pareja descubriera sus problemas de alimentación. En la última, su compañera se enfadaba con frecuencia, y se esforzaba para que dejara de comer de una forma tan caótica. Sam puso fin a la relación, pues había perdido la capacidad de saber qué alimentos o qué personas eran adecuadas o inadecuadas para él.

Características del caótico inconsciente

Mente
- Experimenta fluctuaciones extremas en el peso.
- Purga la comida con largas visitas al cuarto de baño después de haber ingerido excesivas cantidades de alimentos.

- Realiza demasiado ejercicio físico y compra grandes cantidades de comida, fármacos diuréticos, píldoras dietéticas, etc.
- Presenta una inflamación inusual en los maxilares.
- Experimenta reacciones corporales negativas, tales como trastornos gastrointestinales, abotargamiento, gases, dolores de cabeza e irritación de garganta.

Pensamientos
- Es muy crítico y severo consigo mismo.
- Determina la valía personal a tenor del peso.
- Su discurso intelectivo es inflexible.

Sentimientos
- Sufre intensas alteraciones en el estado de ánimo.
- Teme estar gordo.
- No supera fácilmente el estrés y la ansiedad.

Estas categorías no constituyen una lista exhaustiva de los diferentes tipos de alimentación inconsciente, ni tampoco son diagnósticos o «etiquetas», pero ayudan a elaborar un simple resumen de tus tendencias alimentarias. Asimismo, destacan los aspectos de la inconsciencia a los que deberías prestar atención.

Quienes comen inconscientemente a menudo buscan estrategias para transformar su relación a largo plazo con la comida y con la forma de su cuerpo. Los infra-alimentados suelen dedicarse a desarrollar técnicas de autoaceptación y pensamientos compasivos, así como a familiarizarse con el impacto de los alimentos en su capacidad para sentirse dichosos. Por su parte, quienes comen en exceso y los caóticos inconscientes tienden a extraer valiosas conclusiones cuando consiguen desmitificar las emociones que los impulsan a comer, gravitando con frecuencia hacia el aprendizaje de técnicas de control y la estabilidad emocional.

PRIMERA PARTE

La conciencia de la mente

El secreto de la salud para la mente y el cuerpo reside en no lamentarse del pasado, no preocuparse por el futuro y no anticipar los problemas, sino en vivir el momento presente seria y sabiamente.

BUDA

1

Despierta tu mente

El primer paso hacia la conciencia es ser más «consciente» de todo, una tarea mucho más difícil de lo que podrías imaginar. Significa traer a la superficie de la mente los pensamientos y sentimientos antes ocultos. A menudo la conciencia está emborronada por la infinidad de exigencias de un mundo en constante ajetreo. La atención a las cosas que «tienes que hacer» es más prioritario que lo que está ocurriendo en tu interior. Pero se puede superar fácilmente desarrollando la conciencia. No requiere ninguna acción ni tienes que hacer nada para cambiar nada, sino que simplemente te enseña a reorientar el foco de atención.

El estado consciente no se limita a traer las cosas a la esfera de la conciencia, sino a enfocar la atención y los sentidos de un modo especial. La conciencia es como un espejo que refleja sólo lo que está aconteciendo en este preciso momento y de la forma exacta en la que está ocurriendo sin sesgos ni distorsiones. Es tu «interpretación» de lo que ves lo que puede alterar y deformar la imagen reflejada. Limítate a estar alerta, consciente y presta atención.

Si estás familiarizado con las ilusiones ópticas, sabrás que tus ojos pueden engañarte. La mente funciona en conjunción con los sentidos para interpretar el entorno, y cuando la información es ambigua o se puede interpretar de más de una manera, hay que buscar una forma de comprenderla. Llegados a este punto, a menudo llenas el vacío con información perdida de experiencias pasadas. Como resultado, «ves» lo que esperas ver en lugar de lo que realmente hay. Poner a punto o «afinar» las sensaciones y la información puede ayudarte a examinar exactamente lo que estás viendo, y si la información es suficiente, entonces la mente no creará ni imaginará algo que no existe.

Usar los cinco sentidos es absolutamente esencial para la conciencia. Cuando tomas conciencia de un objeto por primera vez, media un breve instante de pura conciencia antes de identificarlo. Esto se produce cuando salta al estado de alerta a través de la vista, el sonido, el olor, el gusto y el tacto. Puedes percibir la experiencia sin necesidad de implicarte en ella. Éste es un momento consciente.

Un paciente describió un ejemplo de despertar de la mente. Me dijo que acababa de cerrar las puertas al parloteo en su cerebro y que había reorientado su conciencia hacia sus hábitos de alimentación. No cambió nada en la forma de comer, sino que simplemente prestaba atención a cada acción y sensación de comer. Esto aumentó el nivel de conciencia de su «masticación consciente». Antes sólo recordaba abrir la bolsa de bollos y concluir con los últimos mordiscos. No recordaba nada de lo que sucedía durante el proceso. Atrayendo su comportamiento alimentario a la superficie de la mente en lugar de mantenerlo oculto, lo alertó de posibles formas de transformar sus hábitos. Prestar atención al olor dulzón de una manzana recién cortada o a la textura crujiente de una barrita de chocolate con avellanas convirtió sus tentempiés en una experiencia más placentera y más controlada.

Técnica: Bocados conscientes

El que sigue es un clásico ejercicio de conciencia. Comer conscientemente empieza ralentizando y despertando los sentidos mientras comes. Todo cuanto necesitas es un espacio cómodo, tranquilo y un puñado de semillas de girasol. También puedes utilizar pasas de Corinto o una galleta para esta técnica. Pon las semillas en la palma de la mano. Primero advierte su color y su forma, y en silencio, describe lo que ves. Compara y contrasta cada semilla. Fíjate en las manchas, indentaciones y diseños en la cáscara. Presta atención al peso y textura de la piel. ¿Son ligeras, pesadas, ásperas o suaves? ¿Su forma y tamaño son regulares o diferentes? A continuación mueve unas cuantas semillas entre las puntas de los dedos. Siente sus bordes y su forma, y también las sensaciones que producen en la palma de la mano. Ahora huélelas. ¿Qué te viene a la mente al percibir su olor? ¿Un recuerdo? ¿Una imagen? Cierra los ojos y llévatelas a la boca. ¿Qué sensación experimentas en la lengua? Mientras las masticas, ¿has empezado a salivar? ¿Están crujientes? Fíjate en el sabor y descríbelo. ¿Es dulce, salado o amargo? ¿Qué oyes? Presta atención al sonido de tus maxilares al masticar y al tragar. Repite varias veces la palabra «semilla», mentalmente, antes de tragarlas. ¿Qué sensación experimentas mientras se deslizan por la garganta?

Técnica: Despierta los sentidos

Este ejercicio también te permitirá acceder y observar tus sensaciones. Puede ser muy útil cuando estás enojado o abrumado por los pensamientos que bullen en tu mente, que es cuando más difícil es vivir el «presente» de las sensaciones y mantenerse consciente. Este ejercicio empieza concentrándote en las sensaciones y ampliándose luego hasta reconectarte con lo que está ocurriendo a tu alrededor. Sigue los pasos siguientes:

- Percibe el flujo de la respiración, relájate y ponte cómodo. Estás aprendiendo a entrenar la mente para que sea capaz de prestar atención única y exclusivamente a lo que está sucediendo en este momento.
- Empieza con la visión. Di mentalmente: «Veo…» y observa lo que te rodea. Identifica colores, formas, contrastes en matices y texturas. Cierra los ojos y reproduce mentalmente lo que has visto en forma de imagen.
- Concéntrate ahora en lo que oyes. Di mentalmente: «Oigo…» y describe los sonidos del entorno.
- Continúa con el olor, el sabor y por último las sensaciones. Di mentalmente: «Siento…» y etiquétalas. Recuerda que puedes sentir emociones contrapuestas al mismo tiempo. Por ejemplo, sentirte feliz y triste al mismo tiempo en este preciso instante.
- Manténte al nivel de la sensación. No la analices ni interpretes.

Este ejercicio está destinado a borrar tu mente y a reconectarte con tus sensaciones físicas del entorno. Siente el libro en las manos, fíjate en lo que estás oliendo, presta atención a la sensación que te produce la silla en la que estás sentado y apoya con fuerza los pies en el suelo. Observa el color de las paredes y los detalles de un cuadro.

2

Observa lo que hay en tu mente

Una vez despertada la conciencia, el siguiente paso consiste en salir de la mente y observarla. Tu mente se halla en un permanente estado de «avanzar». Pensar, soñar, calcular, procesar o contemplar son algunos ejemplos de los procesos de avance. El contenido de la mente es asombroso, pero casi nunca te paras a pensar y observar cómo lo utilizas.

Observar es parecido a pintar un cuadro verbal de lo que está pasando en tu cabeza, pero sin añadir una sola gota más de pintura para que tenga un «mejor» aspecto ni borrar partes que no te gustan. No pintas tal como piensas que «debería» quedar. Observar es ver las cosas tal cual son, sin juicios ni alteraciones. Observar la mente también es similar a dar un paso lateral para mirar en su interior. Algo así como levantar la tapa de una caja. La levantas, miras y ves lo que se está «cociendo» en ella.

Veamos un clásico ejemplo de técnicas de observación para aprender a tomar conciencia de unas pautas de alimentación equilibradas. Una mujer que practicaba este tipo de ejercicios me dijo: «Llevaba diez minutos intentando decidir lo que iba a pedir en mi charcutería favorita. Era consciente de mi frustración e indecisión y opté por adoptar una actitud observadora e imparcial en un intento de solucionar aquella incómoda situación. Me observé y dije: "Estoy negociando. No me limito a pensar en satisfacer mi apetito. Estoy regateando conmigo misma". Me digo cosas como "Si no pido la hamburguesa, luego puedo comer un dulce. Si pido el pollo, luego también puedo tomarme la sopa". No me juzgo ni critico por este proceder. Después de analizar detenidamente mi "estrategia de regateo" llegué a la conclusión de que lo más sensato sería dejar de negociar y elegir con cordura. Y eso fue lo que hice».

Es esencial identificar y observar tu experiencia sin quedar atrapado en lo que te estás diciendo en aquel preciso instante. Supongamos que estás en el metro, atestado de gente, y que alguien te pisa. Interpretarlo como un simple accidente o un acto intencionado no cambia la sensación de dolor, aunque sí influye drásticamente en tu estado de ánimo.

Técnica: Observa tu mente hambrienta y tu mente saciada

Algunas personas son incapaces de pensar en algo más que en comida cuando tienen el estómago vacío. Esa sensación nubla cualquier pensamiento excepto la necesidad de satisfacer el hambre. El hambre distrae tu mente desde ese momento y te impide observar y describir tu experiencia.

Para hacer este ejercicio, realiza un experimento mental. Observa simplemente lo que ocurre dentro y fuera de ti cuando tienes hambre y cuando te sientes saciado. Presta la máxima atención y descríbelo con el mayor detalle posible, y haz un especial hincapié en los pensamientos, las sensaciones y el cuerpo.

Observación de la mente hambrienta: éstas son las actividades en las que se implica la mente cuando tienes hambre: planificar cómo obtener alimentos, soñar en un tentempié, sentirte disperso e incapaz de concentrarte, sentirse insatisfecho, distraído por los olores, atento a los compañeros de trabajo que se marchan a almorzar, mirar reiteradamente el reloj.

Observación de la mente saciada: éstas son las actividades en las que se implica la mente cuando te sientes saciado y satisfecho: sentirte a gusto, capaz de concentrarte en el trabajo, feliz, relajado, alegre, cálido, descansado, despejado y consciente.

3

Comer segundo a segundo

Tomar una comida consciente significa concentrarse completamente en el «proceso» de comer. Comes segundo a segundo y te concentras en el aquí y ahora. Empiezas mirando la comida, apreciando los diferentes colores y formas. Te das perfecta cuenta de lo que tienes ante tus ojos. Aprecias cada aspecto del alimento, desde el vívido rojo de un tomate hasta la textura suave y sedosa del yogur. También prestas atención a la forma de sujetar la cuchara y el tenedor. La comida no entra automáticamente en la boca. Todo tu cuerpo está implicado en esta acción. Sujetas y desplazas los utensilios, cortas la carne y experimentas la sensación de abrir y cerrar la boca. Comer segundo a segundo significa estar atento a la forma de masticar, la temperatura del alimento, su sabor y a la acción de tragar. Significa asimismo ser consciente de lo que oyes, como por ejemplo la sopa hirviendo que burbujea, la carne caliente que parece chirriar, el sonido martilleante al masticar y el paso del aire a través de una pajita de refresco.

Comer segundo a segundo no sólo hace más placentera la comida, sino que también es esencial para no hartarse ni comer en exceso. Una mujer estaba muy preocupada: «¿Cómo puedo saber si no comeré demasiado si cedo a cualquiera de mis antojos?». Y lo cierto es que así es. Cuando se rendía a la vista de una galleta de virutas de chocolate, su «droga» favorita, perdía el control y no podía parar, lo cual no hacía sino acrecentar su miedo a comer. Para solucionarlo aplicó técnicas de alimentación consciente que reducían el «proceso» de comer. Aprendió a degustar el dulce y delicioso sabor de las galletas, a disfrutar de su olor y de tu textura suave y quebradiza. Cuando conseguía sintonizar con sus reacciones corporales, conectaba automáticamente con el placer.

A base de meditar acerca de lo que estaba comiendo, se dio cuenta de que su deseo de ingerir galletas incontroladamente tenía su origen en la falta de motivación en su vida y a los altibajos en el estado de ánimo. El deseo de comer excesivamente aparecía y desaparecía minuto a minuto. Finalmente aprendió a no dejarse llevar por la indulgencia en el consumo de alimentos.

Técnica: Comidas en el preciso instante

Una forma de ralentizar el proceso de comer es poner en tela de juicio la forma en la que siempre lo has hecho. Prueba a comer con un par de palillos chinos en lugar de los utensilios de costumbre. Esto te obligará a tomar porciones más pequeñas, a comer más lentamente y a observar la comida con mayor atención. Toca, describe y siente los dedos flexionándose y sujetando los palillos. Al principio es posible que tengas problemas para «pescar» la comida. No te des por vencido. Sigue intentándolo. Presta atención a las sensaciones de sujetar la comida con los palillos y llevártela a la boca instante a instante. Considera cada bocado como una instantánea de la experiencia total.

4

Alimentación sensata: contemplación del alimento

Cuando McDonald's propuso abrir un restaurante al pie de un antiguo monumento, la escalinata española en Roma, se produjo un gran revuelo en la comunidad. ¿Por qué les preocupaba tanto? Los italianos son famosos por sus largas comidas. La presencia de un McDonald's amenazaba aquel importante rasgo cultural acerca de la alimentación. Comer es una experiencia. No debe ser apresurada, al vuelo, demasiado rápida. A menudo la cultura americana destaca el extremo opuesto de un almuerzo relajado, inherente en la expresión «comida rápida».

Ralentizar es un concepto desconocido para muchas personas ocupadas. Hacer varias cosas simultáneamente está considerado una forma más eficiente de realizarlas, como por ejemplo, hablar por teléfono mientras se está cocinando. Hacer más de una tarea a la vez es complejo y causa confusión. Con frecuencia aumenta la tensión arterial e inhibe la concentración. Llevado al extremo, diversificar la atención puede ser peligroso, como en el caso de hablar por el teléfono móvil mientras se conduce. Comer es una actividad que se realiza tan automáticamente que muchas veces la gente aprovecha para leer el periódico, conversar, ver la televisión y escuchar música. Todo esto desequilibra seriamente su capacidad de ser consciente de lo que se come y la elección de los alimentos más adecuados. La «necesidad» de hacer más de una cosa al mismo tiempo demuestra lo extraño que resulta centrar la atención en una actividad en el aquí y ahora.

Los hábitos de alimentación de Alex, por ejemplo, estaban estrictamente dictados por la comodidad. Su lema alimentario era «traga y vete». Un enfoque más consciente significaba sentarse tranquilamente y conectar con la experiencia del proceso. En lugar de almorzar mientras respondía al e-mail y los mensajes telefónicos, se obligó a hacer una cosa cada vez. Cuando comía, no hacía nada más. Se concentraba en el acto y el proceso de comer. Esto aumentó drásticamente su conexión con la experiencia. Saboreaba los alimentos, y su cerebro y su boca tenían la oportunidad de registrar el hecho de que la comida entraba en su cuerpo y enviarle un claro mensaje cuando ya había comido suficiente. Asimismo, cometía menos errores que cuando dividía su atención entre trabajar y comer.

Técnica: Comidas conscientes

Empieza con una comida: desayuno, tentempié a media mañana, almuerzo o cena. Busca un lugar específico donde comer, como por ejemplo la mesa de la cocina o el comedor de la empresa. Siéntate tranquilamente y no dejes que nada te distraiga (por ejemplo, no te levantes, prepara con antelación todo cuanto vas a necesitar durante la comida, no respondas al teléfono, etc.). Para ser consciente debes prestar toda tu atención a lo que vas a hacer, sin dividirla ni incurrir en comportamientos inconscientes de «piloto automático». Dedícate a experimentar lo que estás haciendo.

Tradicionalmente, los maestros de técnicas de conciencia enseñan a sus alumnos un ejercicio de paseo para demostrarles el valor de canalizar la mente en una sola actividad. Cómo caminan, su ritmo, el movimiento de las piernas, todo se desvanece completamente de la conciencia cuando la mente está ocupada en otros pensamientos. Los alumnos no aprenden a «pensar», sino a caminar y observar. Por analogía, si estás comiendo, concéntrate en el proceso de comer y disfruta de los alimentos.

5

Rompe con las rutinas alimentarias inconscientes

Las rutinas alimentarias inflexibles son una causa común de alimentación inconsciente. Las rutinas y la repetición ayudan a simplificar el mundo. Creamos categorías y listas de los que «nos gusta», de lo que «no nos gusta» y de lo que «está bien» para que nos sirva de ayuda en la decisión, en ocasiones compleja, de lo que debemos comer. Nos gusta decidir fácil y rápidamente.

Cuando está preocupada por su peso, la gente también crea otras categorías, tales como «demasiado gordo» o «malo». El inconveniente de una rutina es que empezamos a hacer elecciones inconscientemente, perdiendo de vista la razón por la que se come. Consumimos alimentos sin pensar con diligencia o disfrutarla como es debido e inventamos menús limitados sobre la base de reflejos emocionales en lugar de hábitos de alimentación conscientes.

La forma más habitual en la que mis pacientes dividen la alimentación es en dos grupos: «segura» e «insegura». A menudo un alimento se asigna inadvertidamente a una categoría negativa y permanece allí a menos que quien ha confeccionado la lista lo elimine. Amy, por ejemplo, creía estar comiendo de una forma sana hasta que realizó un detenido inventario. Su rígido menú constaba principalmente de ensalada y pan integral, y aunque le encantaba una amplia variedad de alimentos, sólo consumía estos dos porque eran bajos en grasas. Haber elegido comer sólo aquellos dos productos respondía a una pregunta rápida e irreflexiva cargada de aspectos emocionales: «¿Qué debería comer?». Temía el queso, la carne y los aguacates, pues había leído que eran ricos en grasas. Nunca los comía a causa de la ansiedad que le provocaba y estaba convencida de que, de hacerlo, aumentaría inmediatamente de peso.

Aunque sus rutinas de alimentación inconscientes le permitían sentirse libre de culpa en el momento presente, este enfoque tuvo consecuencias a largo plazo. Acabó aburriéndole la comida, y lo que es más importante, redujo la ingesta de proteínas, vitaminas y minerales esenciales para el organismo. Con el tiempo, el convencimiento de que «podía» y «debería» ampliar su dieta empezó a arraigar en su mente, y aunque parezca una ironía, aquello le hacía sentir hambrienta. Luchando a brazo partido consigo misma acerca de lo que debía y no debía comer drenaba su energía y le arrebataba el más mínimo placer al comer.

Técnica: Crear nuevos hábitos de alimentación

1. Haz dos listas, una de los alimentos que comes «conscientemente» y la otra de los que ingieres «inconscientemente». Los alimentos inconscientes son los que evitas, restringes, defines como «malos», los que generan profundas emociones de culpabilidad e inducen a comer incontroladamente. Por su parte, los alimentos conscientes pueden producir emociones, pero

son eminentemente positivas o neutras. Son los que comes voluntariamente, sin reservas ni temores. Si no divides conscientemente los alimentos en estas dos categorías, puedes tener una sensación interior de tus reacciones emocionales (comer sin cuidado frente a una ingesta que inmediatamente se traduce en culpabilidad, estrés o miedo). Estar en contacto con la forma de reaccionar ante cada una de estas categorías de alimentos es importante. El primer paso para cambiar un comportamiento es tomar conciencia del mismo. Tráelas a la esfera consciente, la de los pensamientos deliberados.

2. A continuación piensa en cómo combinar la ingesta de alimentos de las dos categorías. Elimina la etiqueta «malo» de una galleta asignándole una finalidad. ¿Tienes la intención de tomar un tentempié? Si es así, cómetela a bocados conscientes o úsala para aliviar un deseo irrefrenable de comer dulces. También puedes «recetarte» una dosis de una galleta al día. Empieza con los alimentos que comes inconscientemente, y a medida que vayas sintiéndote más cómodo, pasa a experimentar con pequeñas porciones de alimentos que has erradicado completamente de tu dieta o con alimentos que te causan «terror» o te muestras reacio a comer. Vence tus miedos.

3. Rompe con tu rutina habitual. Tanto si vas al supermercado y compras los mismos productos semana tras semana o recorres los pasillos en busca de ofertas, haz algo diferente. Observa y compra frutas exóticas, como por ejemplo un mango, una papaya o una pera asiática. O regálate una buena rebanada de pan de harina entera. Añade variedad a tus comidas. Examina dete-

nidamente cada producto alineado en los estantes, descubre alimentos en los que nunca te habías fijado, toca
los envases, huele las frutas, examínalo todo, rastrea y
compra algo nuevo.

6

Siéntate a solas con tu pesar

El pensamiento budista sugiere que el deseo a escapar al sufrimiento es una de las raíces emocionales más profundas de muchas cuestiones, y en particular en la alimentación inconsciente. Modular los hábitos alimentarios puede pagarse muy caro en términos de estado de ánimo y estado mental. Si comes sin el hábito de una rutina consciente, es difícil estar presente y conectar con tu comportamiento de alimentación. Comer conscientemente requiere decirte a ti mismo: «He elegido cambiar mi forma de comer y superaré todas las dificultades» cada vez que te sientes a la mesa.

Un paciente se refería a la canción de Kenny Rogers, «The Gambler», para describir hasta qué punto ocultaba sus temores y no sabía nunca cómo enfrentarse a ellos. Tenía la sensación de que identificar exactamente cuándo «guardar», «doblar», «abrir» o «pasar» no eran precisamente sus técnicas más depuradas. Es decir, le costaba decidir cuándo huir del peligro y cuándo plantarle cara y enfrentarse a sus miedos.

Si no eres un «luchador», tu estrategia natural para sobrevivir puede ser la de emprender la fuga. Las discusiones, el sufrimiento, los conflictos, los proyectos complicados y la ansiedad pueden ser muy difíciles de tolerar. La conciencia aconseja: «No huyas de la vida, ni siquiera de las cosas que más temes». Acepta una experiencia tal como es. En ocasiones, los lugares a los que te encaminas para escapar causan más problemas que el lugar de partida. No te apresures a rehuir el dolor antes de haber comprendido perfectamente en qué consiste. Actúa conscientemente: abraza el sufrimiento, consérvalo. Comprender en qué consiste te ayudará a encontrar soluciones para combatirlo.

Tonya se incorporó a la terapia para abordar su miedo a las relaciones sexuales. Había desarrollado una pauta de citas sospechosamente repetitiva. Cuando la relación pasaba a ser física, la eludía inmediatamente. Un enfoque consciente del problema le conminó a examinar qué era realmente aquello de lo que pretendía escapar. Y resultó ser que no era el sexo lo que temía, sino su incapacidad para afrontar su autoconciencia acerca de su cuerpo. Tenía miedo de no gustar a su pareja de turno. La pérdida de peso no le había ayudado a alimentar su autoconfianza como había imaginado. Tonya no había conseguido hacer frente a sus emociones y a sus juicios críticos de sí misma. Sus problemas de relación le «pesaban» incluso más que su peso corporal.

Técnica: Despeja tu mente

Cuando te sientas a un escritorio atiborrado de papeles y carpetas, a menudo tu primer impulso es ordenarlo. Apilar y dejar espacio fomenta una sensación de alivio. Pues bien, afrontar los problemas en lugar de evitarlos es algo así como despejar el escritorio en lugar de buscar otro lugar donde sentarse. Trabaja con lo que tienes.

¿Hay sentimientos, pensamientos o problemas de los que estás intentado «escapar» o evitar? ¿Has aparcado algo con la esperanza de que mejorará gradualmente por sí solo sin tener que intervenir personalmente? No niegues el problema. Dedica unos minutos a cerrar los ojos y a analizar la cuestión que has estado intentando rehuir. Imagina que tu mente es tu escritorio. ¿Qué aspecto tiene tu mente? ¿Cuál es el área más desordenada? ¿Amontonas sentimientos negativos en un cajón? ¿Te obsesiona el orden? Acepta las sensaciones derivadas de cada respuesta, ya sea enojo, frustración o dolor. No intentes «arreglarlo»; limítate a reconocer lo que sientes y a sentarte tranquilamente con tus sentimientos, dejando a un lado el deseo de cambiar las cosas que te preocupan y examinando solamente lo que está saturando tu mente.

7
Vive el presente

En lugar de vivir en el presente, es muy fácil quedar atrapado en recuerdos del pasado o fantasías acerca del futuro. Estos dos estados de la mente te alejan del auténtico presente, viviendo en un «Tendría que...» o «No puedo esperar hasta...», cuando en realidad deberías estar en un «Estoy aquí y ahora». No olvides que el momento presente es el único tiempo real en el que vives.

El pasado, ese lapso de tiempo que incluye los tempranos recuerdos y el pesar por las palabras pronunciadas minutos antes, siempre será el pasado. Es inmutable y cualquier intento de alterarlo es en vano. Meditar sobre el pasado puede ser útil cuando su propósito es comprenderte y conocerte mejor. Sin embargo, reflexionar acerca del pasado es mucho más útil si se hace desde una perspectiva de aceptación y el deseo de aprender de él en lugar de cambiarlo. Por desgracia, la mayoría de los actos contemplativos del pasado se realiza en un estado mental de «Ojalá hubiera tenido...» o implica fantasías en relación con algún incidente acaecido en el pasado para el que se imagina un resultado diferente.

Con frecuencia los caóticos inconscientes y los sobrealimentados crónicos comparten una infinidad de experiencias pasadas dolorosas, y no es de extrañar que probablemente tales recuerdos estén permanentemente presentes en su mente, consciente e inconscientemente. Estos recuerdos pueden distanciarte del presente y tentarte a vivir en el pasado, reorganizando mentalmente lo que «deberías haber hecho». Si es éste tu caso, es importante tratar y curar tu sufrimiento para poder disfrutar de la vida en el tiempo presente.

Técnica: Vivir en el presente

En este ejercicio aprenderás un tipo de meditación budista para liberarte del pasado y vivir en el presente: la meditación *Dhyana*, que ralentiza la mente para evitar que saltes de un pensamiento a otro. El ejercicio requiere una cierta preparación previa. En primer lugar, piensa en qué eventos te alejan del presente. Una mujer, por ejemplo, tenía dificultades para liberarse de una antigua relación sentimental. Cada vez que se sentía mal por alguna razón, su ex amante emergía vívidamente en su mente. Luego, los recuerdos invadían todo lo demás en su momento presente y caía en una profunda depresión.

Elige un pensamiento que a menudo interfiera en tu capacidad de vivir en el presente. Podría ser un pensamiento recurrente acerca de tu aspecto, un error que cometiste o una experiencia negativa de rechazo. Cualquier pensamiento recurrente vale.

A continuación imagina un arroyo discurriendo por la suave ladera de una colina. Visualízate sentado en su orilla mirando las hojas y las ramitas flotando en el agua. Los pensamientos, al igual que las hojas, flotan constantemente y pasan. Desde la orilla puedes recoger las hojas y sacarlas del agua o ver cómo se alejan siguiendo el curso de la corriente. Puedes hacer lo mismo con tus pensamientos, aferrarte a uno y morar en él o dejar que pase de largo, flotando, con todos los demás. Presta atención al momento en que los pensamientos negativos acerca de ti mismo o de tu cuerpo afloran a la conciencia. No reacciones; advierte su presencia y deja que se alejen flotando en el vacío de la mente. Si abrigas algún pensamiento negativo en relación con tu pasado, lo atrapas y recalas en él, puedes verte arrastrado en el pasado y ser incapaz de vivir el momento presente. Si lo alcanzas, sujétalo un instante y luego visualízate arrojándolo a la corriente. Deja que se aleje, manténte conectado con cuanto está sucediendo en tu vida aquí y ahora y sé consciente del lugar en el que estás en este preciso momento.

8

¿Qué hay en tu mente?
¡No en tu plato!

Un paciente me contó una historia acerca de su incapacidad para enfrentarse a su miedo de una pequeña protuberancia que crecía en su estómago. Aterrorizado ante la posibilidad de que fuera un cáncer, no acudió al médico. Dos años más tarde, la tumoración benigna se había expandido tanto que pesaba ya alrededor de 4 kg. De haber abordado el problema en su día, hubieran podido extirparlo con una simple intervención quirúrgica prácticamente indolora. Pero al dejarlo crecer durante tanto tiempo, le había provocado otros trastornos de salud, cuestiones emocionales virtualmente insuperables y aislamiento social. En realidad, ninguno de aquellos problemas tenía su origen en la tumoración propiamente dicha, sino que eran el resultado de no haberle prestado atención. Finalmente, la mujer tuvo que someterse a una cirugía extensiva e invasiva para extirpar el tumor. Y sin duda alguna, de haber seguido ignorándolo, hubiera muerto.

De algún modo, todos llevamos a cuestas algún tipo de excrecencia no cancerosa. Son cuestiones que no matan, pero que cuanto más tiempo se evitan a causa del miedo, más deprisa crecen y mayor es la carga emocional que hay que soportar. Enfrentarse a un ligero dolor en el presente puede evitar otro mucho más lacerante en el futuro. Asimismo, afrontar un problema de peso o cualquier otro problema que se expande silenciosamente en el cuerpo o la psique alivia la mente y el corazón.

¿Es realmente un problema el peso? A menudo no, aunque puede ser una manifestación visible de otros trastornos. ¿Y por qué recurrir a la alimentación para expresar otros problemas? Está a la vista, se puede obtener con facilidad, es legal y es una sustancia omnipresente. Por otro lado, y a diferencia de las drogas y el alcohol, la comida goza de una mayor aceptación social como droga de elección.

La alimentación es algo a lo que todos tenemos que enfrentarnos a diario. De ahí que sea uno de los problemas más difíciles de controlar. A diferencia del alcohol y los estupefacientes, que se pueden erradicar completamente de la vida, es imposible dejar de alimentarse. Comer conscientemente implica aprender a sintonizar y afinar el consumo de alimentos, no cómo eliminarlos.

Técnica: Los problemas subyacentes de la alimentación inconsciente

Visualiza un gran iceberg flotando en el océano Ártico. Imagina que te sumerges en las frías aguas para ver hasta dónde llega. Los problemas de la alimentación inconsciente son como los icebergs, pues es muy difícil adivinar qué profundidad alcanzan y qué ocultan. La «punta del iceberg» es el aspecto visible del consumo alimentario, es decir, cuántas veces al día comes, qué tipos específicos de alimentos consumes y su cantidad. Pero la verdadera pregunta de «por qué» comes lo que comes es invisible y sólo se puede responder explorando en tu interior.

¿Qué hay debajo del deseo de perder peso? ¿Qué problemas más significativos alimentan los trastornos de peso? ¿Una falta general de autoestima, la creencia errónea de que «Seré feliz si pierdo 5 kg» o el deseo de controlar algún aspecto de tu vida? Todos sabemos lo que ocurre cuando se ignoran los problemas subyacentes. Dar la espalda a cuanto se esconde debajo de la superficie puede ser arriesgado y hacerte vulnerable a peligros impredecibles e insospechados. Ser consciente de los problemas que te incitan a comer inconscientemente te permitirá aprender a hacerlo de un modo consciente.

9

La mente compasiva

En las enseñanzas budistas, se conmina al ser humano a ser compasivo, es decir, a mostrar respeto y amor hacia todas y cada una de las entidades vivas. Dado que tú eres una entidad vida, ser compasivo también significa tener compasión de ti mismo. La compasión incluye tener paciencia, ser generoso, tolerante y perdonar no sólo a los demás, sino también tus propios conflictos. Asimismo, un comportamiento compasivo se exige liberarse de la envidia, el desprecio, las actitudes críticas y el deseo de venganza, todos ellos aspectos integrales de vivir de una forma que no perjudica a los demás ni a ti mismo. Veamos algunos principios fundamentales budistas para vivir mejor.

Buda decía que, sin compasión hacia ti mismo, es imposible mostrarte amable y comprensivo con el prójimo. Según su filosofía, «al igual que todo cuanto puebla el universo, también tú eres merecedor de amor y afecto». Independientemente de quién seas, necesitas y tienes derecho a recibir un buen trato, y no podrás tratarte con generosidad si no aprendes a ser amable y compasivo con tus propios problemas.

Si en alguna ocasión has hablado con alguien en relación con tus problemas de alimentación, es probable que estés familiarizado con lo fácil que resulta mostrarse intolerante contigo mismo. Cuando te has atiborrado de comida es difícil perdonarte y decirte cosas amables, y también lo es desembarazarse de la necesidad de comer más y más. Pero la autocrítica es el polo opuesto de la compasión y a menudo tiene su origen en una falta de comprensión. Tal vez puedas pensar en aquella vez en que criticaste el comportamiento de alguien y luego cambiaste de opinión tras haber escuchado la historia completa. Cuando desarrollas un enfoque tolerante, puedes sumergirte en tu interior y sentir la complejidad de tu sufrimiento.

Técnica: *Compasión consciente*

Decide cuándo necesitas añadir más compasión en tu vida. Empieza contigo. Sé tolerante. Cuando tengas un problema, di: «Está bien» y háblate con palabras compasivas. Quienes tienen trastornos de la alimentación se sienten mejor si experimentan compasión hacia los demás. Piensa en si eres capaz de perdonar a cuantos te rodean y úsalo como guía para saber lo que debes decirte a ti mismo cuando comas inconscientemente. Buda nos dice que «es preferible una palabra que trae la paz que mil palabras vacías». Recuerda que la compasión te ayuda a pensar profundamente en la causa del problema. Criticarte sólo te hace sentir peor contigo mismo e inhibe la capacidad de reflexionar acerca del problema en cuestión. La autocrítica sólo desencadenará un nuevo ciclo de alimentación inconsciente. Contrarréstala con este tipo de pensamientos:

- Está bien, la próxima vez será más fácil.
- Me estoy esforzando, pero hoy he tenido un día difícil.
- No es culpa mía. Probaré de nuevo.

- Es difícil ser consciente cuando me siento así.
- Soy un buen amigo y una persona formidable.
- Lo comprendo, es difícil.
- Todos nos equivocamos.
- Me duele, pero pasará.
- Ser consciente es un proceso; lleva tiempo.
- Quiero lo que es mejor para mí.
- Me quiero por encima de todo, independientemente de lo que sucede o de lo que hago.

10

Basta ya de dietas inconscientes

En general, la «alimentación inconsciente» es muy parecida a la dieta. Las dietas son un claro ejemplo de vivir inconscientemente. Te invita a olvidar el «ahora», la dificultad y el sufrimiento de la dieta, y a concentrarte en resultados anticipados en el futuro. El término «dieta» implica un «marco temporal diferente» en el que eres sensiblemente consciente de la selección de alimentos, pero en el que también anticipas que la necesidad de mantener este estado de conciencia pasará. Cuando sigues una dieta miras hacia ese momento en el que te sentirás mejor, tendrás una figura más atractiva y serás capaz de comer de nuevo con «normalidad».

La dieta te obliga a cambiar la cantidad y el tipo de alimentos que consumes y te exige infringir los cuatro pilares de la alimentación consciente. El pilar del «sentimiento» es especialmente complejo. Las dietas absorben el disfrute de la comida. Las dietas más inconscientes son las que aconsejan la eliminación de un grupo completo de alimentos, como por ejemplo los hidratos de carbono, los productos lácteos o la carne. Este tipo de dietas saben a «cartón» y a menudo carecen de equilibrio nutricional. Seguir una dieta no es fácil, y cuando además «prohíben» el placer de comer, es probable que acaben fracasando. Aproximadamente el 95% de las personas que siguen una dieta recuperan el peso que han perdido un año después (Zerbe, 1995).

La inconsciencia de una dieta se evidencia cuando el cuerpo reacciona negativamente ante la ausencia de una ingesta alimentaria equilibrada y nutritiva. Anecdóticamente, quienes siguen una dieta sufren dolores de cabeza, nerviosismo y náuseas cuando dejan de consumir drásticamente hidratos de carbono y aumentan el consumo de proteínas.

Lógicamente, los síntomas de malestar físico son la señal de que necesitas una variedad de alimentos específicos para que el organismo funcione como es debido. Cuando experimentas malestar físico, algo importante está en desequilibrio. Como regla general, quienes comen inconscientemente creen que los malestares derivados de la dieta desaparecerán o que simplemente se acostumbrarán a ellos. Y por encima de todo, la dieta destruye las delicadas conexiones entre la mente y el cuerpo.

Comer conscientemente no implica «comer lo que quieras cuando quieras», sino que requiere alcanzar un equilibrio entre los cuatro pilares de la alimentación consciente: conciencia de la mente, del cuerpo, de los pensamientos y de los sentimientos. Si comes incontroladamente, tu cuerpo y tu mente se sublevarán. Sentirse demasiado saciado puede ser tan incómodo como tener demasiado apetito. Cuando te has «atiborrado» de comida, tu cuerpo se siente lento y abotargado, tu mente puede desarrollar ríos de autocrítica, es probable que tus emociones sean de culpabilidad y de odio hacia ti mismo, y que tus pensamientos sean un círculo interminable alrededor de lo que acabas de comer y de por qué no deberías haberlo comido.

Un paciente describió la sensación de comer en exceso como «un burrito demasiado relleno»; su contenido rebosaba por los extremos. Le resultaba muy difícil mover su cuerpo hinchado y torpe cuando se sentía excesivamente «lleno». Afortunadamente todo esto se puede superar simplemente escuchando y respondiendo a las señales corporales mientras comes. Si le prestas atención, te indicará cuánto debes comer y cuándo debes parar.

Técnica: Firmar un contrato de alimentación consciente

Adoptar un enfoque de alimentación consciente es una elección y un compromiso que requiere una decisión consciente y reflexiva. El siguiente contrato describe los principios básicos de una alimentación consciente. Si quieres comer con sensatez y estás preparado para rechazar de plano las dietas, puedes aprender los entresijos de la filosofía esencial que subyace en la alimentación consciente.

Empieza leyendo el contrato y haz una copia escrita del mismo. A medida que vayas escribiendo, personaliza el lenguaje y adáptalo a tus circunstancias personales. Luego fírmalo para reconocer que has tomado una decisión informada y meditada. Cuélgalo en la cocina, en la puerta del frigorífico, o en la sala de estar, o en cualquier lugar a la vista para poder leerlo a menudo. Si es necesario, puedes modificarlo o reescribirlo a medida que tus necesidades vayan cambiando.

Contrato de alimentación consciente

Me comprometo a comer conscientemente. De ahora en adelante comeré con diligencia.

Me comprometo a cambiar radicalmente mi actitud acerca de la comida. Soy consciente de que las dietas no funcionan.

Me comprometo a pensar en lo que como segundo a segundo.

Me comprometo a considerar cada bocado en múltiples niveles, teniendo en cuenta su sabor, textura, calidad, reacción corporal y las sensaciones que experimento al comer.

Me comprometo a eliminar la mentalidad de dieta, rechazando los consejos y libros que la recomienden y a no mostrarme autocrítico.

Me comprometo a no criticar los hábitos de alimentación de los demás, su peso y aspecto físico.

Me comprometo a sentir compasión de mí mismo.

Me comprometo a ser consciente de lo que digo al hablar. Eliminaré de mi vocabulario términos tales como «restringir» o «alimentos prohibidos» y empezaré a utilizar palabras como «sano», «natural», «orgánico» y «energía» tanto al pensar como al conversar.

Reconozco que estar sano y vivir conscientemente es mi objetivo número uno.

Me comprometo a aceptarme tal cual soy.

Me comprometo a ser consciente de los desafíos únicos a los que me enfrento.

Me comprometo a aceptar lo mal que me siento y lo equivocado que estoy si sigo una dieta.

Firma:_____

11
Afronta conscientemente el desánimo

Todos somos vulnerables a una alimentación inconsciente, ya que el estrés de la vida cotidiana es uno de sus principales desencadenantes. Linda, por ejemplo, llegaba a casa cada día a las seis de la tarde agotada a causa de su trabajo como comercial, tratando siempre con pacientes potenciales a puerta fría, y se sentía hambrienta. Incluso antes de quitarse la chaqueta, se dirigía a la cocina, tomaba lo primero que tenía a su alcance y se lo llevaba a la boca compulsivamente. Había días en que devoraba una caja entera de galletas y una bolsita de frutos secos hasta que la cena estaba lista. Luego cenaba. Un día, de camino a su apartamento, recibió una llamada telefónica. Se sentó, habló y luego permaneció sentada un buen rato reflexionando sobre las experiencias del día. Pasaron dos horas antes de darse cuenta de que tenía apetito.

Linda necesitaba tiempo para relajarse. Inmediatamente fue a por la comida, pero esta vez como una forma de relax en lugar de responder a la sensación de hambre. A juzgar por el modo automático de comer era evidente que estaba más estresada que hambrienta. La comida puede reconfortar y tranquilizar, ya que cambia instantáneamente lo que está sucediendo en tu interior y reorienta el foco de atención. Es más fácil comer inconscientemente que enfrentarse con las fuentes del estrés.

Para Jane, la falta de apetito no era un síntoma de un problema individualizado, sino una respuesta compleja a múltiples cuestiones y al intenso estrés al que estaba sometida en su vida. De adolescente, Jane había cuidado de su madre alcohólica, y a menudo tenía que ir de bar en bar a las tres de la madrugada en su busca. De adulta, le daba la sensación de estar empezando a experimentar los mismos infortunios y cometer los mismos errores que mamá. Se casó y luego se divorció en un corto período de tiempo. Sufría constantes cambios en su estado de ánimo, le faltaba energía, tenía trastornos de sueño, no gozaba de la vida y no tenía ganas de comer. Se alimentaba lo justo para «funcionar» y era difícil determinar si su infraalimentación inconsciente estaba causalmente asociada a sus problemas o era el resultado de su infelicidad. Como temían que estuviera clínicamente deprimida, sus amigos le aconsejaron buscar ayuda profesional.

La tristeza, la frustración, la drogadicción, el estrés, las experiencias traumáticas y los abusos sexuales y emocionales, y la ansiedad son algunos de los problemas que te pueden hacer vulnerable a una alimentación inconsciente. De ahí que sea importante identificar si tienes cambios en el estado de ánimo. En ocasiones, el aumento o disminución bruscos del apetito son signos de depresión o de trastornos de la salud, y a menudo indican que la persona está experimentando dolor emocional. Con frecuencia, la comida alivia los sentimientos intensos. Si es tu caso, tal vez necesites ayuda profesional: Solucionarlo tú solo y cambiar las pautas de alimentación puede ser muy difícil.

Técnica: Identificar los problemas

1. Identifica las situaciones en tu vida que pueden estar influyendo en tu alimentación o en tu inconsciencia. Si sabes cuáles son, un libro de autoayuda podría serte útil. Si te sientes triste o deprimido, prueba con *Sentirse bien: Una nueva terapia contra las depresiones*, de David Burns (1999), o si estás ansioso, preocupado o estresado, *The Anxiety and Phobia Workbook*, de Edmund Bourne (1995). *Vivir con plenitud las crisis: Cómo utilizar la sabiduría del cuerpo y de la mente para afrontar el dolor y la enfermedad*, de Jon Kabat-Zinn (1990), es otro excelente libro si te sientes estresado o vives sumido en un sufrimiento crónico. Si quieres más información acerca de la conciencia y cómo utilizarla en la vida diaria, lee *Eight Mindful Steps to Happiness* (2001), una obra magnífica escrita por el experto Bhante Henepola Gunarantana. Las librerías están atestadas de libros de autoayuda. Déjate aconsejar por un profesional de la salud mental y elige uno que se ajuste a tus necesidades.

2. Determina hasta qué punto el estrés contribuye a tu alimentación inconsciente. Asiste a un cursillo de reducción del estrés.

3. Recopila tus recursos. Consulta libros médicos y de salud mental, páginas web y expertos.

4. Comenta tus problemas con tus amigos. Escuchando a otros podrías asombrarte de la universalidad del dolor y el sufrimiento.

5. Consulta a un profesional. El consejo puede ayudarte a identificar los problemas que estás complicando e instigando tu alimentación inconsciente. Contacta con

una organización profesional para que te refieran a un buen especialista. La página web <www.edreferral.com> es excelente en este sentido. Las evaluaciones médicas y mentales son fundamentales en caso de sobrealimentación, infraalimentación y alimentación caótica.

12

Comer poco
y los cuatro fundamentos

Aunque parezca una contradicción, la infraalimentación inconsciente es perfectamente consciente o incluso se basa en una obsesión por un único aspecto de la alimentación: la restricción de la ingesta de calorías para reducir el peso corporal. Cuando te implicas en una infraalimentación inconsciente, el deseo de estar delgado excede la capacidad de tener conciencia de otros muchos aspectos de comer y vivir (la nutrición, la salud, la experiencia de comer, las sensaciones asociadas a la comida, etc.). El miedo a aumentar de peso predomina sobre todos los demás factores y te impide comer conscientemente o sintonizar con el perjuicio potencial que puedes infligirte (interrupción del ciclo menstrual, pérdida de masa ósea, desequilibrio electrolítico, trastornos cardíacos, etc.).

Tal vez creas, erróneamente, que la infraalimentación inconsciente es en realidad un ejemplo de ser extremadamente consciente, en especial de la dieta. Esto es incorrecto, ya que quien se infraalimenta se concentra profundamente en un solo aspecto de la experiencia global de comer, ignorando las señales del hambre y desaprovechando completamente los aspectos placenteros de la comida.

La infraalimentación inconsciente puede ser más peligrosa para la salud que la sobrealimentación. Los efectos de la pérdida de minerales y vitaminas son a menudo más debilitadores a largo plazo. Asimismo, el riesgo de este comportamiento está enmascarado por el deseo de esbeltez. Es imposible advertir el increíble contraste entre lo que significa comer inconscientemente en el exterior y el malestar y desasosiego que siente el infraalimentado inconsciente en su interior.

La obsesión de Amy por la comida empezó en el instituto. Todas sus actividades sociales se centraban en la comida. Siempre estaba tentada de salir a «picotear» algo con los amigos en lugar de hacer los deberes escolares. Como perfeccionista crónica, quería ser la mejor. En la escuela primaria había sido una estudiante «estrella», pero ahora en el instituto estaba rodeada de compañeros igualmente brillantes que le hacían sentir estúpida e inadecuada.

Durante el Fin de Semana de los Padres, su madre le preguntó: «¿Te sientes un poco "hinchada" cariño?». Aterrorizada por la pregunta, Amy empezó a restringir la ingesta de calorías para perder cuanto antes la «hinchazón». A las dos semanas, prestar atención en clase o concentrarse en cualquier tarea mental durante más de cinco minutos era casi imposible. Amy estaba obsesionada por la ingesta calórica y los gramos de grasa en lugar de las fiestas o el trabajo escolar; se encerraba en su habitación y no cenaba.

Sus padres y amigos la colmaban de beneplácitos. Le decían que estaba «fabulosa», lo cual no hacía sino aumentar su miedo a recuperar de nuevo el peso perdido. Aprendió a no ser «consciente» de los dolores en el estómago, fatiga, obsesión por la comida y aislamiento. Su aspecto físico era excelente, pero se sentía fatal en muchas y muy diferentes dimensiones de su vida interior. Los demás eran ajenos a su sufrimiento.

Técnica: Ser consciente de los cuatro pilares

Los infraalimentados inconscientes y dietéticos inconscientes hacen un exclusivo hincapié en el contenido en calorías, la ingesta de grasas y el control estricto de la cantidad de comida. Ser consciente de la experiencia de la alimentación significa prestar atención a los cuatro pilares (cuerpo, mente, pensamientos y sentimientos) y al cambio constante del estado de la mente (hambre frente a saciedad, hambre física frente a hambre emocional, etc.). Empieza confeccionando un diario alimentario, anotando lo que comes cada día durante varias semanas. Si el hecho de escribir cantidades específicas aumenta considerablemente tu ansiedad u obsesión, limítate a verificar en qué medida comer influye en cada pilar. También es un buen ejercicio para los sobrealimentados y caóticos inconscientes.

Veamos a continuación un ejemplo de diario de alimentación que toma en consideración los cuatro pilares. Procura que tu planificación dietética diaria sea equilibrada.

Mi diario de alimentación consciente

Ejemplo: **Desayuno: panecillo con mantequilla, zumo de naranja y plátano**

Conciencia de la mente: esta mañana tengo mucho apetito. Ayer cené poco. Hoy tengo que hacer muchas cosas y sé que van a surgir dificultades que deberé resolver. No fue fácil concentrarme en la comida. Tal vez tenga que prestar más atención a mi apetito cuando me sienta estresado.

Conciencia del cuerpo: me sentí mejor después del desayuno. Sé que debería llevarme un tentempié para media mañana, ya que el desayuno no será suficiente para mantenerme con energía hasta la hora del almuerzo. Pero ahora ni tengo hambre ni me siento saciado. Simplemente estoy bien.

Conciencia de los pensamientos: mi «yo» crítico ha reaparecido, cuestionando si realmente podía permitirme el «lujo» de comer un panecillo con mantequilla. Se ha producido una discusión en mi cabeza. Finalmente, me he convencido de que estuvo bien hacerlo. Asimismo, lo verifiqué con mi cuerpo, que se sentía bien.

Conciencia de los sentimientos: el panecillo estaba genial. Crujiente, dulce. Se me hizo agua la boca. Empecé a tener la sensación de que estaba haciendo algo «malo», ya que la experiencia de comérmelo fue francamente placentera. He hecho bien en comerlo y no me preocupo más.

Lleva este tipo de registro durante todo el día para documentar cada comida y cada tentempié. Luego intenta prolongarlo una semana, dos, un mes, etc. Dispondrás de una clara panorámica de tus pautas y hábitos alimentarios que te resultará muy útil en tu viaje hacia una alimentación consciente.

13

«Dejarlo ya»

Procuramos conservar las experiencias dichosas y positivas y evitar los pensamientos y estados de ánimo negativos con el deseo de librarnos cuanto antes de ellos. Ser consciente es dejar que la experiencia «sea lo que es» sin intentar cambiarla, dejando las cosas tal cual están. No es necesario que te guste tu cuerpo o que disfrutes comiendo conscientemente para ser capaz de aceptar tu cuerpo y la práctica de comer conscientemente.

A menudo los problemas de la alimentación están estrechamente relacionados con cuestiones de control. La necesidad de una constante planificación es un intento de alcanzar un sentido de orden y control en la vida. Elegir «dejarlo ya», de una vez por todas, todo cuanto escapa a tu control es una forma de afrontar la situación. Un enfoque consciente requiere esfuerzo para dominar a las personas o eventos imposibles de controlar, y te invita a aceptar el cambio a medida que se va produciendo, asumiendo la responsabilidad de lo que tienes entre manos. El cambio es bueno, natural e inevitable, y la desazón que lo acompaña suele indicar únicamente que la vida puede ser «diferente», aunque no necesariamente «peor». La falta de familiaridad con las cosas y las situaciones provoca malestar.

Técnica: Pequeñas formas de «dejarlo ya»

1. En ocasiones la mente interpreta como «fracaso» la sensación de haber perdido el control. Reconceptualiza este sentimiento con una actitud de «Ir-con-el-flujo» o «Aprender-de-esta-experiencia».

2. Practica el famoso adagio «Conócete a ti mismo». Sé claro en lo que te gusta y te disgusta. Libérate de lo que «deberías» desear y di a los demás que detestas «viajar en el asiento de atrás». Ábrete a los demás.

3. Recuérdate que está bien tener necesidades. Incluso los peces las tienen. Mueren cuando los sacas de su entorno natural.

4. Practica la toma de decisiones por pequeñas que éstas sean, como por ejemplo adónde quieres ir a cenar con un grupo de amigos, elegir la emisora de radio en el coche con convicción o el tentempié que quieres tomar.

5. Di lo que piensas. Algunas personas temen expresar sus opiniones por miedo a parecer prepotentes. Seguridad en uno mismo significa defender tus derechos, mientras que ser agresivo implica inmiscuirse en los derechos de los demás. Hay una gran diferencia.

6. Sé claro con tu entorno y tus «fronteras». Toma conciencia del espacio personal, independencia y control que necesitas.

7. Recupera el orden en otras áreas de la vida y soluciona los problemas de interrelación personal. Equilibra el saldo de tu cuenta emocional.

8. Practica la sencillez. Reduce tu vida a lo realmente asequible. Ordena tu armario ropero, vende o deshazte

de los muebles viejos, vacía el frigorífico, ordena el papeleo y archiva las facturas. Equilibra tu entorno interior y exterior y elimina el exceso. Guarda lo esencial.

Desprenderse de una alimentación inconsciente parece inimaginable para un dietético crónico. Buda enseña que los deseos y afanes nos hacen sentir infelices. Para liberarte de la desdicha debes «dejarlo ya». Para liberarte de un estado mental dietético, primero párate a pensar, examina tu alimentación inconsciente y luego identifica aquello que tanto has estado ansiando. En el caso de la pérdida de peso, el deseo de quitarse de encima más y más kilos a menudo tiene su origen en el afán de tener una figura espectacular, encontrar una pareja sentimental, mantener el control, alcanzar la perfección o aumentar la autoestima. Cuando tienes un deseo específico, empiezas a aferrarte a él y a adoptar una actitud de «Tengo que...»: «Quiero tener un cuerpo mejor; es la única forma de sentirme a gusto conmigo mismo». Pero este tipo de deseos causa infelicidad.

Conciencia del deseo manifestado. Ejemplo: Quiero perder 2 kg. Como inconscientemente porque lo que realmente deseo es que los demás me admiren.

Conciencia de apego: dado que deseo atención, soy muy consciente de que no he perdido peso. Esto me hace sentir desgraciado y disgustado conmigo mismo.

Conciencia de «dejarlo ya»: Si no experimento el deseo, no me consumirá el desasosiego. Controlo mis ansias y comprendo que mi incesante deseo de estar delgado es la fuente de mi infelicidad. Mi cuerpo no es en sí mismo el responsable de mis sentimientos, sino que es mi afán de impresionar a los demás lo que me hace sentir insatisfecho. Si quiero ser feliz y comer conscientemente, tengo que liberarme definitivamente del deseo de impresionar, que es lo que realmente está alimentando mis ansias de perder peso.

Técnica: Olvidar las dietas

Realiza un acto personal y simbólico para iniciar el proceso de «dejarlo ya». Un paciente se escribió una carta a sí mismo describiendo su enfoque dietético destructivo y su deseo de renovar su cuerpo. Tomó la carta, hizo un barquito con la hoja de papel, fue al lago, lo puso en el agua y lo empujó, observándolo mientras se alejaba. Más tarde, durante los inevitables momentos en que se sentía tentado de recaer en las dietas inconscientes, visualizaba el barquito y recordaba su mano empujándolo. Crea tu propio acto simbólico para recordar en los momentos difíciles tu capacidad de abandonar el deseo de seguir una dieta.

14

Las seis percepciones sensoriales

Quienes practican la meditación creen que tenemos seis sentidos, no cinco. Además de los cinco habituales (vista, oído, olfato, gusto y tacto), los gurús creen que el órgano sensorial más importante es la mente. Tu mente es fundamental para ayudarte a comprender, describir e interpretar lo que sientes. Tu «sexto sentido», la mente, permanece en un constante estado de alerta alimentado por los otros cinco sentidos entretejidos e interpreta lo que está ocurriendo. De ahí que el uso de la mayor cantidad posible de sentidos ayude a la mente a captar el verdadero significado de una experiencia.

La inconsciencia es como cuando se te duerme un pie. Está insensible. La función del hormigueo es precisamente alertar a la mente de la necesidad de movimiento para restaurar la circulación. El contraste entre conciencia e inconsciencia es similar al de un pie despierto y un pie dormido. Al principio ni siquiera eres consciente de que no sientes nada, pero al final, la falta de sensación te hace sentir incómodo. De un modo similar, necesitas todos los sentidos para comer sensiblemente.

Técnica: Comidas sensoriales

Cena en un restaurante étnico o prepara una receta de otra cultura. Esto te obligará a mirar más allá de lo evidente y lo familiar para descubrir lo que normalmente te pasaría inadvertido. Si decides hacerlo tú, sazona la comida con especias exóticas. Huélelas y saborea la experiencia. Cocinar una receta nueva te ayuda a romper la rutina. Recuerda, cambiar es bueno.

Y si prefieres cenar fuera, elige un restaurante que renueve tus sentidos. (*Nota*: Para muchas personas, la comida china puede ser demasiado familiar para poder realizar correctamente este ejercicio.) La cocina etíope, por ejemplo, puede invitarte a olvidar temporalmente tus hábitos típicos de alimentación. En lugar de los utensilios habituales, la comida se sirve con *injera*, unas tortitas de pan parecidas a una *crêpe*. Llevarse la comida a la boca con los dedos crea una experiencia táctil única y diferente a todas las demás. Asimismo, en algunas culturas asiáticas la norma es sorber ruidosamente la sopa. Aunque hacerlo así sea un tabú en la cultura occidental, sorber añade una nueva dimensión a la experiencia de comer.

Cuando entras en una escuela o un consultorio médico enseguida sabes dónde estás por su olor distintivo. Un olor puede ser tan familiar que puedes verte inundado de sentimientos y recuerdos asociados a él, como en el caso del niño que tiene miedo de ir al dentista.

Ni siquiera tienes que darte cuenta de que has percibido una fragancia para que surta efecto en tu estado de ánimo. Por ejemplo, un paciente con un problema continuado de alimentación era consciente de la sensación de incomodidad que le producía hablar con una de sus amigas. En realidad le gustaba y no podía comprender por qué se sentía irritable cuando ella estaba cerca. Un día la descubrió perfumándose y le preguntó si podía olerlo. Quedó asombrado al darse cuenta de que el perfume olía a rosas.

Inmediatamente estableció una conexión. De pequeño había pasado mucho tiempo a solas en su habitación para evitar las constantes peleas familiares, y cuando salía, cerraba la puerta y abría la ventana. En el jardín había un rosal, pero aquel delicioso aroma no le impedía seguir oyendo gritar a sus padres.

Técnica: Conoce tu nariz

Cuando salgas de excursión, presta atención a los olores. Elige un día y procura ser extremadamente consciente de las fragancias que te rodean, los olores en el aire, los árboles y las plantas. Luego, de regreso a casa, anota el olor que sientes al entrar en tu cuarto, el aroma de cada miembro de tu familia y ese aroma tan especial que desprende la ropa cuando se ha mojado bajo la lluvia. Fíjate muy especialmente en tus reacciones emocionales a los olores de la comida. Piensa en la facilidad con que alteran tu estado de ánimo y alteran lo que está sucediendo en tu mente. Determina qué fragancias elevan tu estado de ánimo y cuáles te deprimen.

15

Fomenta la alimentación consciente

La alimentación inconsciente no es sólo «cosa de chicas», sino un problema muy generalizado. Sin embargo, y hasta cierto punto, ser mujer aumenta significativamente la probabilidad de tener que afrontar trastornos alimentarios. Según algunos estudios, alrededor del 80 % de las mujeres en Estados Unidos manifiestan sentirse disgustadas con su aspecto (Costin, 1999; Smolak, Levine y Strigel-Moore, 1996).

Por desgracia, es más común entre las mujeres mostrarse críticas y detestar su cuerpo que sentirse satisfechas del mismo. Si pudieras oír a casi cualquier grupo de mujeres conversando durante el almuerzo, es muy probable que las oyeras hablar del contenido en grasas de la comida o regañándose por lo que están comiendo.

Aunque las mujeres son particularmente vulnerables, los problemas de la alimentación también están aumentando rápidamente entre los hombres. Aproximadamente el 10 % de quienes se enfrentan a trastornos de la alimentación son varones (Costin, 1999). Desde una perspectiva clínica, apenas hay diferencia entre la forma en que los hombres y las mujeres experimentan los problemas de alimentación, y los desencadenantes de una alimentación inconsciente son prácticamente idénticos.

En lo que divergen un poco es en el modo de expresar sus preocupaciones por la imagen corporal. Las mujeres, que tienen más depósitos grasos para facilitar la fertilidad, son más propensas a centrarse en la pérdida de esa grasa extra para adelgazar, mientras que los hombres tienen más músculo, y en consecuencia, suelen hacer un mayor hincapié en la forma y el tono muscular. Algunos investigadores sugieren que es más difícil para los varones reconocer su preocupación por el peso, ya que en el pasado se consideraba un problema de la «mujer» blanca de buena posición. Sin embargo, hombres y mujeres, y gente de casi todas las culturas, sobre todo en la sociedad occidental, son vulnerables a los trastornos de la alimentación (Costin, 1999).

¿Qué importancia tienen los mensajes de los medios de comunicación acerca de la necesidad de estar delgado? Depende. Es difícil de algún modo no caer bajo el influjo de algunos anuncios de dietas, la imagen de modelos etéreas y las constantes historias de celebridades que ganan y pierden peso. El mensaje, nada sutil por cierto, de que es esencial estar delgado para ser feliz parece inevitable, aireado por casi toda la publicidad en televisión y en las revistas femeninas, aunque también ésta se está imponiendo paulatinamente en las revistas de *fitness* para hombres. Quienes luchan contra una alimentación inconsciente extrema suelen ser los más afectados negativamente por las imágenes de modelos increíble y «artificialmente» estilizadas y hombres esculturales y dotados de una asombrosa musculatura, concentrándose en el mensaje de que es preferible estar delgado que comer sano y vivir feliz.

Técnica: Remodela tu cultura alimentaria

Piensa en tu vulnerabilidad a las influencias sociales. ¿Estás obsesionado por las imágenes o anuncios publicitarios en las revistas de moda? Si es así, deshazte de ellas y conviértete en un consumidor crítico y bien informado. Cuando veas anuncios, observa tu reacción emocional y evalúa hasta qué punto está causada por mensajes sexuales subliminales o por los cuerpos perfectos que venden los productos. Es asombroso descubrir la medida en que se utilizan modelos superdelgadas para anunciar productos que nada tienen que ver con la buena forma física. Reduce el poder de los mensajes pro dieta tóxicos y presta atención a la publicidad que usa personas normales y corrientes. Recanaliza la energía que utilizas para impulsar el desagrado que te sugiere tu cuerpo hacia los mensajes obsesionados por la delgadez. No aceptes el mensaje de que puedes y deberías cambiar tu cuerpo. Piensa que no estás solo. Todos nos enfrentamos al deseo sobrevalorado de la delgadez. La directiva social «Debes estar delgado» es una ideología difícil de superar, pero si aprendes a comer conscientemente, influirá mucho menos en ti.

SEGUNDA PARTE

La conciencia del cuerpo

Tu cuerpo es maravilloso. Es tu vehículo hacia el despertar. Trátalo con cuidado [...]. Mantener el cuerpo sano es un deber [...]. De lo contrario no seremos capaces de mantener la mente fuerte y despejada.

BUDA

16

Meditación: estudia las claves de tu cuerpo

La meditación es una forma de penetrar en tu interior, algo así como una luz en la mente que ilumina tu mundo interior. Cuando meditamos, uno de los objetivos es serenar el cuerpo y tranquilizar la mente, y otro, conectar la mente y el cuerpo para formar un todo unificado.

Crear una unidad entre cuerpo y mente es muy extremadamente importante para quienes se enfrentan a problemas de alimentación. Para reconocer las señales que envía el cuerpo al cerebro, debes conseguir que la comunicación entre tus pensamientos y tu cuerpo fluya libremente, sin obstáculos. Algunas veces, las personas valoran uno más que el otro, lo cual puede conducir a una divergencia innecesaria entre mente y cuerpo.

La gente casi nunca «siente» o aprecia su cuerpo cuando funciona bien. En efecto, es mucho más habitual prestarle atención cuando se está enfermo. Por ejemplo, cuando estás resfriado, el sentido del sabor y el olfato desaparecen inmediatamente, y cuando te recuperas, te olvidas de nuevo del cuerpo, pues vuelve a funcionar con normalidad. La meditación ayuda a superar las dificultades y sufrimientos enseñando a concentrarse en los pensamientos y sentimientos, y también a ser consciente de los procesos intelectivos y los diferentes comportamientos corporales. Y lo que es más importante, enseña a relajarse. Según el principio psicológico de la «inhibición recíproca» desarrollado por Joseph Wolpe (1958), es imposible relajarse y estar tenso al mismo tiempo. La meditación es una vía muy eficaz para desestresarse y sosegar el mundo interior.

Técnica: Reconectar con el cuerpo

1. Este ejercicio fomenta la tranquilidad. Es una de las múltiples técnicas de meditación que se utilizan para recuperar la paz interior y reflexión. Úsalo cuando tengas dificultades para tomar decisiones sanas y conscientes en relación con la alimentación o cuando te sientas sobrecargado emocionalmente. Primero busca una posición que te permita estar cómodo pero alerta. Sentado o echado suelen ser las más habituales.

2. Inspira y espira varias veces y relájate. Continúa respirando profundamente.

3. Empieza sintiendo las partes de tu cuerpo que están en contacto con otras cosas. Por ejemplo, el cojín en el que estás sentado, los pies apoyados en el suelo, la ropa rozando la piel. Sé consciente de tu postura.

4. Concéntrate en los pies. Tensa y relaja los músculos de los pies y los dedos de los pies, tomando conciencia de cómo se sienten.

5. Ahora desplaza la atención lentamente hacia las piernas, las rodillas y los muslos. Tensa y relaja los músculos de las piernas y los muslos.

6. Tensa y relaja los glúteos y las caderas.

7. Tensa y relaja los músculos abdominales.

8. Tensa y relaja el pecho y los hombros.

9. Tensa y relaja los músculos de los brazos.

10. Tensa y relaja las manos y los dedos hasta la punta.

11. Ahora continúa hasta la cara. Tensa y relaja los músculos. Fíjate en la sensación de la lengua en la boca, el peso de los párpados y el control del cuello. Relaja la frente tensando y distendiendo los músculos. Haz lo mismo con el cuero cabelludo. Trabaja todas las áreas del cuerpo y presta atención a los puntos de tensión. Luego relaja los músculos y relájate.

12. Si necesitas ayuda, compra un CD de relajación muscular. Te guiará en el proceso de relajación progresiva.

Cuando hayas completado este ejercicio y te sientas totalmente relajado, estarás en contacto con lo que siente tu cuerpo cuando está en reposo. Es una valiosa información que puedes utilizar para contrarrestar la ansiedad y el nerviosismo que pueden inducir a una alimentación inconsciente.

17

Libera la tensión corporal con una respiración consciente

La inconsciencia propicia que hagas más cosas de algo que ya estás haciendo sin reflexionar o planificar. Respirar, por ejemplo. Ser consciente significa prestar atención a la forma de inspirar y espirar en lugar de hacerlo superficial e incontroladamente, es decir, inconscientemente. Cuando intentas recuperar el control de la mente y el cuerpo, concentrarse en la respiración es una de las técnicas más sencillas e importantes que puedes practicar.

¿Por qué es tan esencial la respiración? Porque respirar profundamente aumenta el riego sanguíneo en el cerebro, y en consecuencia, también el oxígeno, lo que permite pensar con mayor claridad y facilita una conexión más estable con el cuerpo. Asimismo, cuando eres consciente de la inhalación y exhalación, estás viviendo el presente. La respiración constituye el verdadero fundamento de la vida. Si no respiras, mueres.

El signo más evidente de que una persona sufre ansiedad es que su respiración se interrumpe súbitamente. «Estoy conteniendo la respiración» es una expresión que se usa a diario. Significa «Tengo que parar, espera y verifica si todo marcha bien». Por encima de todo, prestar atención a la respiración ayuda a ser consciente del momento y a controlar cómo te sientes en este momento.

Técnica: Respirador

Este ejercicio presenta una técnica para recone
tantáneamente con la mente y el cuerpo. Es fácil o
cer y desencadena una respuesta de serenidad. Practi
calo varias veces al día y utilízalo para regalarte tres
minutos de minivacaciones en tus preocupaciones coti-
dianas.

1. Ponte cómodo.
2. Concéntrate en tu cuerpo, prestando atención a lo que sientes en cada una de sus partes.
3. Relájate y siente tu cuerpo cómo se aligera.
4. Concéntrate ahora en la respiración. Toma conciencia de ella. Obsérvala.
5. Respira desde lo más profundo del estómago. Pon las manos en el estómago y asegúrate de que el vientre tira al inspirar y empuja al espirar. Esto se denomina «respiración ventral».
6. Imagina que tienes un globo en el estómago. Cuando soplas, imagínalo hinchándose y expandiendo el estómago.
7. Concéntrate en el ritmo de la respiración y al aire entrando y saliendo por la nariz.
8. Sigue el ritmo de la respiración; no trates de alterarlo.
9. Si tienes dificultades para mantenerte concentrado, cuenta las inhalaciones y exhalaciones. Uno por cada respiración completa. Cuando llegues a diez, empieza la cuenta atrás. Siente la diferencia entre contar. Fíjate en la diferencia entre contar las inspiraciones y las espiraciones.

10. Si prefieres no contar, puedes prestar atención a los músculos que producen la respiración.

11. Concéntrate en la forma de respirar en diferentes situaciones: caminando, corriendo, durante una relación sexual, descansado, feliz, triste o cansado.

12. Mientras realizas este ejercicio, además de relajar tu cuerpo, evitas pensar en cualquier cosa que pudiera perturbarte.

18

La conciencia del movimiento

Sé consciente de cómo se mueve tu cuerpo. Comer es el elemento esencial para que el cuerpo funcione, y ser consciente de lo bien que lo hace depende de la ingesta de alimentos. Aprovecha tu necesidad de comer para moverte, y tus niveles de energía a modo de calibrador para saber qué cantidad de comida necesitas para que tu cuerpo siga funcionando.

- No tienes que hacer nada extraordinario, sino simplemente observar tus movimientos naturales.
- Fíjate en tu forma de comer. ¿Tomas pequeñas porciones de comida o te llenas la boca? ¿Comes deprisa o despacio? ¿Comes un alimento después de otro o los combinas?
- Presta atención a la forma de sentarte. ¿Te encorvas sobre el plato o cruzas las piernas? ¿Te estás quieto en la silla o cambias de postura constantemente? ¿Estás relajado o no paras de mover los pies?
- Fíjate en tus movimientos mientras hablas. ¿Gesticulas con las manos? ¿A qué distancia te mantienes de tu interlocutor? ¿Tocas a tu interlocutor mientras hablas? ¿Adónde miras? ¿Dónde pones las manos?¿Hablas en un tono de voz fuerte o débil? ¿Qué comunicas con tus expresiones no verbales?
- Observa la forma en que tu cuerpo se mueve en el entorno. ¿Con energía? ¿Lenta y pesadamente? Sé

consciente de tus momentos muy vigorosos y dinámicos, como por ejemplo correr, gritar, practicar un deporte o hacer el amor.

- Presta atención a la forma en la que te transporta tu cuerpo. Aprecia las sensaciones de caminar. Concéntrate en el movimiento de las piernas, su ritmo, paso y zancada.
- Fíjate en cómo se relaja tu cuerpo. Concéntrate en la forma de estirar y mover los brazos y las piernas, y en cómo giras el cuello.
- Observa ahora tu forma de echarte. ¿Boca arriba, boca abajo, de lado? ¿Te mueves o permaneces inmóvil?
- Y ahora el equilibrio. ¿Te cuesta mantener el equilibrio? Sé consciente de las veces en las que alteras tu equilibrio y te inclinas.
- Observa las sensaciones interiores que acompañan a tus movimientos. ¿Qué sientes en las articulaciones y los músculos? ¿Cuándo te duelen? ¿Cuándo estás en plena forma?

Considera tu cuerpo desde un macro y micropunto de vista. Imagina la comida que te llevas a la boca viajando hasta el estómago, transformándose en energía y utilizando los nervios para enviar señales al cerebro que se traduzcan en movimiento. Piensa en qué medida una acción, como comer, influye en el resto de los movimientos de tu cuerpo.

19

Reconoce las consecuencias

Por desgracia, la alimentación inconsciente es capaz de causar miríadas de problemas de salud. Quienes sufren trastornos de la alimentación a menudo son conscientes de los riesgos físicos potenciales, pero procuran no pensar en ellos. Negar, evitar o atribuir los efectos perjudiciales de la alimentación inconsciente a otros factores son algunas de las formas en las que el individuo se enfrenta a los peligros derivados de este tipo de ingesta.

Se necesitan aproximadamente 1.200 calorías diarias para evitar que el cuerpo pase al modo «hambre» (Sandbeck, 1993). Dicho en otras palabras, necesitas estas calorías para que tu cuerpo realice sus funciones básicas: respirar, dormir, circulación de la sangre, mantenimiento del pulso cardíaco, etc. Esto no incluye actividades tales como caminar, estar sentado o pensar, que exigen muchas más. Cuando le faltan minerales y vitaminas esenciales, el cuerpo se esfuerza para mantener su equilibrio. La infraalimentación inconsciente y las fluctuaciones nutricionales son especialmente peligrosas, ya que el daño interior que causan a menudo no se exterioriza y pasa desapercibido. La infraalimentación crónica extrema es uno de los trastornos mentales más letales (Crow, Praus y Thuras, 1999).

Jessica ignoraba las implicaciones en la salud de su alimentación caótica inconsciente hasta que le dieron los resultados de un chequeo rutinario. El médico expresó su preocupación por su tensión arterial alta y unos niveles exagerados de colesterol. Jessica era perfectamente consciente de sus problemas respiratorios cuando realizaba un ejercicio físico, pero lo achacaba a factores diferentes de unos deficientes hábitos de alimentación. Ante la alarma del médico, le resultó prácticamente imposible seguir ignorando los signos de alerta. Finalmente aceptó sus problemas de salud y comprendió que si no ponía remedio de inmediato, empeorarían.

Para controlar su comportamiento inconsciente, concéntrate en las potenciales consecuencias físicas de tu alimentación restrictiva o excesiva y aprende a reconocer las señales de malestar de tu cuerpo. No te juzgues con severidad ni te critiques con dureza, y sé consciente de los resultados. Advierte la diferencia entre evaluar y predecir las consecuencias físicas. «¡Me he comido toda la bolsa de patatas! ¿Cómo he podido ser tan estúpido?» frente a «Si me como todo esto, influirá negativamente en mi estado de salud y luego me sentiré mal». O «Soy tan débil» frente a «Comer demasiado poco es perjudicial para la salud. Si lo sigo haciendo, mi estado de salud empeorará».

Técnica: Conciencia del cuerpo

Reflexiona, observa y toma conciencia de las sensaciones en tu cuerpo. Piensa en los resultados de una alimentación inconsciente y cuenta las veces al mes en que experimentas las sensaciones físicas siguientes:

- Debilidad.
- Fatiga crónica.

- Heridas que no curan.
- Cortes o magulladuras.
- Falta de concentración.
- Dolores de cabeza.
- Palpitaciones o taquicardias.
- Dolor de estómago.
- Gases.
- Irritación de garganta.
- Vómitos con sangre.
- Dientes sensibles.
- Estreñimiento.
- Abotargamiento.
- Deshidratación.
- Piel seca.
- Cicatrices en los dedos derivadas de la inducción del vómito.
- Dolores musculares.
- Huesos quebradizos.
- Ciclo menstrual irregular.
- Calambres musculares.
- Frío.
- Falta de energía.
- Mareos.
- Náuseas.
- Problemas de movimiento intestinal.

20

Olvida tu cuerpo pasado
y tu cuerpo futuro

Obsesionarse en el físico que tenías cuando estabas en el instituto o antes de tener un bebé sólo incrementa el sufrimiento y la alimentación inconsciente. Es una pérdida de tiempo lamentarse de la desaparición de aquel «ex» cuerpo. No volverá. La conciencia acepta el cambio y evita aferrarse al pasado. Buda recordaba que «todo cambia, nada permanece inmutable».

Los dietéticos inconscientes fantasean acerca de sus cuerpos «futuros». Por ejemplo, Elaine empezó a seguir una dieta para perder peso para estar delgada el día de su boda. Se imaginaba constantemente «deslizándose» etéreamente por el pasillo con un cuerpo más estilizado. Tres semanas antes de la boda, se dio cuenta de que su cuerpo de fantasía no se había hecho realidad (¡pánico!). Empezó a pasar más tiempo pensando en cómo se vería con el vestido de novia y en el fracaso por no haber conseguido el peso deseado que en el hecho de casarse. Sus pensamientos desdichados acerca de la dieta la distraían de la felicidad que debería de sentir ante un día tan señalado. No apreciar y aceptar tu cuerpo en el presente significa aferrarse al pasado o fantasear acerca del futuro, factores, ambos, que disipan el momento presente.

Técnica: Conciencia de los espejos

Olvídate de las imágenes fantasiosas del pasado y del futuro y vive el presente con quien eres en este preciso momento. Busca por lo menos una parte de tu cuerpo de la que te sientas satisfecho, incluso orgulloso. Mírate en un espejo y descríbela en voz alta. Quédate frente al espejo tanto tiempo como puedas. Puede ser desde unos minutos hasta media hora. La cuestión es seguir observando tu aspecto más allá del típico nivel de aceptación. Si experimentas la necesidad de dejar de mirar, te sientes tonto o incómodo, toma conciencia de esta reacción. Presta atención a la compleja interacción de los cuatro fundamentos de la conciencia y sé consciente de cómo te sientes y lo que piensas de tu cuerpo. A menos que tengas que ir a un lugar especial, casi nunca dedicas el tiempo necesario a observar tu aspecto. Un pelo desaliñado puede desviar tu atención del brillo de tus ojos o de la piel suave y rosada del rostro. Para hacer este ejercicio, empieza con un aspecto de tu cuerpo, como por ejemplo las manos o el cuello, y luego ve ampliando la perspectiva hasta tomar conciencia de toda tu imagen. Utiliza todas las técnicas de observación que ya conoces.

Un paciente describió su reacción al realizar este ejercicio diciendo: «En el pasado, mirarme al espejo era insufrible, algo así como cuando pasas por delante del cristal de un escaparate y tus ojos se dirigen automáticamente a esa parte del cuerpo que tanto detestas para asegurarte de que, en efecto, continúas detestándola. Para mí los espejos se habían convertido en una especie de potente foco luminoso dirigido a los muslos. Ignoraba todo lo demás y me concentraba en la parte que más me disgustaba.

»Pero en este ejercicio opté por dejar a un lado la autocrítica y permanecer atenta a mis observaciones conscientes. Me describía detalladamente, algo así como "Tengo un pelo castaño, rizado y con reflejos rubios que me llega hasta los hombros". Abría mi conciencia a la suave textura de mi piel y la temperatura de las diferentes partes de mi cuerpo. Sentía la aspereza de la palma de las manos, percibía los matices cromáticos en mis labios. Empecé a usar palabras tales como "curvado, recto y ovalado" para describir mi figura y prestaba atención al olor de la ropa y la fragancia de mi perfume. Sentía la tentación de utilizar descripciones negativas y positivas como "bonito", "feo" y "precioso", "delgada", y "gorda". Este ejercicio me ayudó a reorientar aquel foco luminoso, apartándolo de los terroríficos muslos de antes y a verme en conjunto, tal cual soy, sin juicios».

Si tu mente empieza a desviarse hacia el pasado, pensando o imaginando el aspecto que solías tener, o si visualizas el futuro y cómo desearías que fuera tu aspecto físico, concéntrate y recanaliza tu atención. Cierra los ojos y vuelve a empezar. Mírate tal como eres en el momento presente.

Técnica: Acéptate en el presente

Este ejercicio te invita a aceptarte a ti mismo tal cual eres en este preciso momento y a asumir el compromiso verbal de cumplirlo. Hace un especial hincapié en el «dejarlo ya» de tu deseo de cambiar radicalmente tu cuerpo.

Lee estas afirmaciones en voz alta y evócalas cuando tengas que realizar elecciones difíciles acerca de lo que vas a comer o cuando te sientas culpable de lo que has comido.

Afirmaciones de aceptación de una alimentación consciente

Mente
- *Acepto* que mis preocupaciones por la alimentación y el peso están provocando estrés emocional, disgusto y sufrimiento en mi vida.
- He decidido *aceptar* mi cuerpo y mi peso tal como están en este momento.
- *Aceptarme* es un compromiso que sólo yo puedo asumir.

Cuerpo
- *Acepto* que mi herencia genética influye extraordinariamente en la forma y peso de mi cuerpo.
- *Acepto* lo importante que es para mí comer conscientemente para disfrutar de una vida sana.

Pensamientos
- *Aceptar* mi cuerpo y mi peso no significa que los considere perfectos.
- La *aceptación* surge de mi interior. No la busco en el exterior.

Sentimientos

- *Acepto* que mi valor intrínseco como persona no está determinado por mi peso y mi figura, sino por quien soy en realidad.
- *Aceptación* incluye rechazar los mensajes culturales y sociales que recibo acerca del peso «ideal».

21

El vestir

Cada día Julie programaba la alarma del despertador a las cinco de la mañana para estar en el trabajo a las ocho. Por término medio tardaba un par de horas en vestirse. Esta tarea aparentemente simple era una pesadilla diaria. Unos pantalones demasiado apretados o un vestido que le hacía «sentir gorda» desencadenaba una espiral que le ocasionaba un terrible mal humor durante el resto del día y le incitaba a comer inconscientemente. Mientras se vestía, se sentía avergonzada, frustrada, irritada y fea. Elegir la ropa que iba a ponerse resultaba aún más difícil si cabe cuando tenía el ciclo; con la retención de líquidos, ganaba peso.

Las personas con problemas de alimentación a menudo pasan horas probándose prendas de vestir que «no les hagan parecer gordas» y se obsesionan con las tallas. Que el estado de ánimo dependa de un número es una trampa de la que resulta difícil escapar. Las tallas no son estándar y varían según los diseñadores. La misma mujer que puede usar una 40 en unos pantalones, podría necesitar una 44 en otros de otra marca.

Lo primero que hizo Amanda para recuperarse de la infraalimentación fue tirar a la basura sus «tejanos enfermos», los que le quedaban bien cuando se sometía a terribles dietas de «ayuno» y que tanto le habían torturado intentando quitárselos en el cuarto de baño y utilizándolos para medir cuánto había «engordado». Aquello había

desencadenado un trastorno de alimentación inconsciente y derivado en pensamientos críticos negativos
acerca de sí misma.

Técnica: Vestirse para el éxito emocional

1. Elige ropa cómoda y a la moda. Compra telas suaves,
como el algodón y el lino, en lugar de otras más ásperas
y almidonadas. Busca pantalones de lana, no tejanos
ajustados, ni tampoco faldas cortas o de tubo. Es esencial que te sientas cómoda, Olvídate de las prendas ce-
ñidas.

2. Busca un vestido «Me veo y me siento muy bien
con él» y póntelo en los días en que te sientas especialmente vulnerable a comer inconscientemente o cuando
no te sientas a gusto con tu cuerpo. Guárdalo para los
días en que realmente lo necesites.

3. Si la ropa te queda ceñida, no significa que hayas
engordado. Es normal experimentar fluctuaciones diarias en el peso. La ingesta de agua y los cambios de tiempo pueden alterar ligeramente el peso.

4. Investiga diferentes marcas de prendas de vestir y
busca los diseñadores que confeccionen ropa que se
ajuste a la forma natural de tu cuerpo. Cuando lo hayas
encontrado, no cambies.

5. Piensa en cómo te queda la ropa, no en la talla.
Sólo tú ves la etiqueta; los demás no.

6. Dedica más tiempo a acentuar otras partes de tu
cuerpo, tales como el pelo, maquillaje, joyería, y compra
colores a juego con la piel y los ojos.

22

Hambre: escucha a tu cuerpo

«Sentir» cuándo tienes hambre o estás saciado es una técnica esencial para comer conscientemente. Cuando restringes una dieta o comes en exceso, te acostumbras a sentirte hambriento o demasiado lleno hasta el punto de que ya no eres capaz de ser consciente de tu verdadero apetito, o haces caso omiso de las señales que te indican que deberías comer, lo cual sólo lo puedes hacer antes de que tu cuerpo se sature de señales imposibles de ignorar. Una alimentación consciente significa saber cuándo necesitas realmente comer.

Por ejemplo, Amy había ignorado las señales de hambre de su cuerpo durante tanto tiempo que ya no era capaz de determinar si estaba saciada o no. Reconocer de nuevo las señales implicaba establecer un programa restrictivo. Primero Amy reguló y reorganizó su ingesta de alimentos con la ayuda de un nutricionista y un médico, que determinaron lo que debía comer. Su nuevo menú incluía alimentos ricos en vitaminas y minerales, tentempiés que le gustaban muchísimo y alimentos, en fin, que siempre le habían encantado. Cuando aprendió a comer conscientemente se dio cuenta de lo aburrido e insulso que era el clásico sándwich «dietético», que le dejaba invariablemente insatisfecha y no saciaba su apetito. Al añadir una loncha de queso, lechuga, pimiento rojo, tomate y aderezos bajos en grasas a su bocadillo de pavo, el cambio fue asombroso. Pronto empezó a observar las conexiones entre sus sentimientos, pensamientos y alimentación.

Técnica: Identificar el hambre

Cuando estés a punto de comer algo, pregúntate: «¿Realmente tengo hambre?», «¿Necesito comer o simplemente quiero comer?», «Si como esto, ¿será un ejemplo de alimentación consciente o inconsciente?». Espera diez minutos antes de responder. Escucha a tu cuerpo e identifica las señales físicas que te indican si realmente tienes hambre. Si te gruñe el estómago, no habrá duda; la señal es muy clara. Pero a veces, el ansia de comer puede ser más sutil, acompañado de señales confusas tales como la falta de concentración o irritabilidad. Aprende a saber lo que tu cuerpo siente en realidad. El texto siguiente ofrece algunas directrices para reconocer la diferencia entre hambre física consciente y hambre emocional inconsciente.

Hambre física consciente
Tienes hambre consciente cuando te gruñe el estómago; cuando comes a tenor de lo que has planificado comer ese día; cuando haces varias comidas al día en lugar de una sola comilona; cuando comes menús equilibrados y nutritivos, y cuando lo haces porque eres consciente de que tienes hambre.

Hambre emocional inconsciente
Fomentas una alimentación emocional inconsciente cuando comes según te sientes emocionalmente; cuando lo haces aunque no tengas hambre, simplemente

porque sabe bien; cuando comes simplemente porque la comida está ahí y no puedes resistir la tentación; cuando comes porque estás aburrido, disgustado o fatigado, y cuando sigues comiendo aun después de sentirte saciado.

23

Pesarte conscientemente

Cada mañana Becky se desnudaba y se pesaba en la balanza, esperando ansiosamente el resultado en el dial, y se pesaba de nuevo sólo para confirmar el número. En ocasiones lo hacía hasta tres veces diarias. Un día decidió dejar a un lado la balanza. Se describía como una «balanza-adicta». Transcurrido un mes, Becky descubrió que se sentía mucho más a gusto con su cuerpo. Sin números de los que depender, no le quedaba otro remedio que dejarse llevar por las sensaciones interiores. Saber cómo se sentía su cuerpo resultó esencial. Se preocupaba menos de comer, de las calorías y de los números, y lo más importante, su nivel de ansiedad cada mañana disminuyó notablemente.

Técnica: Olvídate de la balanza. ¿Qué sentido tiene pesarse?

Guarda, esconde o tira la balanza, o si lo prefieres, pega cinta adhesiva en el dial. Un enfoque consciente indica que el peso numérico carece de significado. El peso se centra en un solo aspecto de tu cuerpo, ignorando completamente si te sientes bien o cómo funciona con un peso determinado. Piensa holísticamente en tu cuerpo.

Si eres incapaz de separarte de tu balanza o sabes que no serás capaz de resistir la tentación de pesarte cuando encuentres una (en casa de una amiga, por ejemplo), recurre a técnicas de conciencia al pesarte. Medita, respira, sé consciente del proceso de montarte en la balanza. Presta atención a las sensaciones y pensamientos derivados del hecho de pesarte y no trates de obstaculizar tus sentimientos; acéptalos y trata de ver la influencia que tienen en tu alimentación consciente o inconsciente. recuerda que el peso sólo es un número que indica la fuerza con que la gravedad te mantiene «anclado» a la tierra. En la luna pesarías muchísimo menos. Simplemente un número. No permitas que te afecte emocionalmente.

24
Ansias conscientes

Después de un almuerzo sano, Jeff sentía un ansia incontenible de comer algo dulce. La idea de un helado había merodeado todo el día por su cabeza, pero no formaba parte de su «dieta», de manera que fue a la cocina en busca de otra cosa. Después de un bol de cereales, varios puñados de patatas fritas y una manzana, acabó comiéndose un delicioso helado de chocolate crujiente. Un enfoque consciente hubiera sido permitirle comerse aquello que tanto deseaba. Tras haber intentado satisfacer su deseo de comer con otros alimentos, se comió igualmente el helado. Los cereales, las patatas fritas y la manzana añadieron más calorías de las que hubiera consumido de haber comido sólo su soñado helado de chocolate cuando le apetecía.

Cuando sientes ansias de comer algo especial, es probable que tu cuerpo esté enviando un mensaje de S.O.S. Básicamente, un «ansia» es un mensaje del cuerpo no acerca de lo que «quieres», sino de lo que «necesitas». Un ansia de comer una hamburguesa podría indicar que tu cuerpo está bajo en proteínas o grasas. Si sientes un ansia irrefrenable de llevarte a la boca una pieza de fruta, tu organismo podría necesitar azúcar. Las ansias son el resultado de la falta de algo. Habitualmente, deseamos lo que no podemos tener, y si podemos tenerlo, no insistimos en conseguirlo. En este sentido, la conciencia consiste en hacer a un lado los deseos y las ansias, proporcionando al cuerpo la medida justa de lo que quiere. En ocasiones, un cuadradito de chocolate puede satisfacer tanto el deseo de azúcar como una tableta entera. Pero si lo que realmente te apetece es comerte la tableta, hazlo gozosa y conscientemente.

Técnica: Conciencia de las ansias

1. ¿De qué sueles sentir ansia? Si es de chocolate, busca una forma de satisfacerla de un modo consciente. Ten a mano una barrita de chocolate o una bolsa de patatas fritas para la ocasión. Llévalo contigo. Tener un plan te hace menos susceptible a perder el control.

2. Recuerda el adagio: «Si te resistes, persiste». Enfoca las ansias conscientemente.

¿Qué sugieren tus ansias de comer acerca de tu alimentación? ¿Tus deseos de comer son señal de que eres demasiado restrictivo con la comida? ¿Sugieren acaso que estás buscando mera satisfacción? Descubre el significado de tus ansias y busca una forma sana de satisfacerlas. Formúlate las preguntas siguientes siempre que sientas un deseo irrefrenable de comer algo especial:

- ¿Cómo influirá en mi cuerpo satisfacer mi ansia?
- ¿Cómo influirá en mi estado de ánimo satisfacer mi ansia?
- ¿Como influirá en lo que pienso de mí mismo satisfacer mi ansia?

25

Caminar o correr por «La Senda Media»

Quienes comen inconscientemente a menudo practican ejercicio físico, una cuestión estrechamente relacionada con los problemas de alimentación y de imagen corporal. Con frecuencia intentan mantener un nivel moderado y saludable de actividad física en su vida. Esto puede provocar dos tipos de problemas diametralmente opuestos: evitar u obsesionarse con el ejercicio. Una mujer, por ejemplo, descubrió que sus hábitos de *fitness* se habían descontrolado cuando era incapaz de saltarse un día en el gimnasio. A pesar de otros importantes eventos en su vida, aquélla era siempre su máxima prioridad. El ejercicio dominaba su vida y su programación diaria.

Buda dice que las tendencias extremas se producen cuando tienes dificultades para caminar por «La Senda Media» o encontrar el equilibrio entre dos extremos. Vivir conscientemente es un enfoque pragmático y flexible que permite determinar lo que nos da buenos resultados, no sólo poner fin a hábitos insanos, sino también buscar otras actividades físicas positivas. Identificar lo que es bueno para ti es esencial para realizar un ejercicio consciente.

Por ejemplo, Alex siempre había tenido ganas de practicar algún tipo de ejercicio físico, pero al parecer, y a causa de su ajetreado estilo de vida, no tenía tiempo.

Cada mes, cuando recibía la factura del gimnasio, la guardaba debajo de un montón de papeles para aliviar su sentimiento de culpabilidad, y lo mismo ocurría cuando se miraba al espejo. Al ver su protuberante estómago y lo apretada que le quedaba la ropa se sentía mortificada. Las miradas al espejo duraban lo justo para comprobar que los complementos quedaban a juego con las prendas que había elegido para ponerse aquel día. Había colocado una fotografía suya de adolescente en la puerta del frigorífico para motivarse a perder peso, pero lo único que conseguía era sentirse peor con el aspecto de su cuerpo, y subconscientemente adiestraba a sus ojos a no prestar atención a aquella envidiable imagen.

Decidida a ser honesta consigo misma, se dio cuenta de que estaba demasiado sobrecargada de trabajo como para poder ir al gimnasio a diario y decidió encararse a sus sentimientos, liberándose del sentimiento de culpa y dándose de baja del centro de *fitness*. Poco a poco empezó a realizar actividades físicas más compatibles con su estilo de vida. Por ejemplo, en lugar de tomar el autobús para ir al trabajo, decidió salir de casa más temprano e ir andando. Y lo mismo de regreso. De este modo, daba un buen paseo dos veces al día. Durante el trayecto se concentraba en los movimientos de su cuerpo y en las sensaciones que sentía mientras caminaba.

Técnica: Reconocer que se evita hacer ejercicio

1. Escucha tu cuerpo, identifica lo que es realista para ti en la vida y comprométete a realizar algún tipo de ejercicio acorde con tus necesidades.

2. Empieza poco a poco, concentrándote en alcanzar objetivos asequibles. Cuando consigas el primero, pasa al siguiente, con un nivel de dificultad ligeramente superior. «Ligeramente» es la palabra clave. Aumenta la cantidad de ejercicio sólo cuando hayas completado el primer objetivo. No te apresures. Nada ni nadie te apremia. El error más común es avanzar con rapidez, en cuyo caso, los objetivos serán inalcanzables y te desmotivarás. Establece objetivos asequibles a tenor de tus posibilidades de práctica física y sé constante.

3. ¿Qué sensaciones experimentas al pensar en el ejercicio físico? Usa esta pregunta para identificar lo que necesitas cambiar en tus rutinas de *fitness*. Si te aburres, añade algo que te motive, como por ejemplo asistir a un curso de baile salsa o comprar un CD de *fitness*. Y si el aerobic te fatiga demasiado, reduce su intensidad.

4. Si no puedes comprometerte a realizar una rutina de ejercicio físico tú solo, hazlo con un amigo.

5. Introduce cambios pequeños pero diarios en la rutina. Por ejemplo, aparca el coche en un lugar más apartado de tu casa y ve andando, o sube por las escaleras en lugar de utilizar el ascensor.

Cuándo decir «Basta»

No todo ejercicio es saludable. Si es excesivo puede ser perjudicial. Para John, por ejemplo, el *fitness* era una parte importante de su vida. Lo practicaba tres horas diarias, una después de cada comida, también excesiva por cierto. Le aliviaba el estrés y reducía la ansiedad acerca del sobreconsumo de calorías. Sin embargo, cuando tomó conciencia de su cuerpo, la sobrecarga muscular y el dolor articular le transmitieron el claro mensaje de que se estaba excediendo. Aprendió a reconocer las señales orgánicas de necesidad de agua, proteínas e hidratos de carbono para potenciar sus sesiones de *fitness* y a saber cuándo su cuerpo decía «Basta». La meditación y la relajación se convirtieron en útiles sustitutos para combatir las ansias incontroladas de comer.

Técnica: Reducir la obsesión por el ejercicio físico

1. Consulta a un monitor de *fitness* profesional. Pídele que diseñe una rutina de ejercicio para ti y cíñete a ella. Si lo prefieres, refiere a un amigo o terapeuta el plan de ejercicio físico equilibrado que te has comprometido a realizar.

2. Analízate. El autoanálisis te permitirá descubrir tus pautas de ejercicio. ¿Qué te impulsa a practicarlo? ¿Es una sensación? ¿Una rutina? ¿Para estar sano? ¿Para desarrollar la musculatura? ¿Qué función crees que debería tener?

3. Busca formas alternativas de aliviar el estrés además del *fitness*.

4. Utiliza sustitutos de bajo impacto, tales como pasear, practicar yoga o estiramientos.

5. Experimenta con lo opuesto del ejercicio. Relájate, descansa, y cuando lo hagas, sé consciente de la experiencia.

6. Si tu cuerpo dice «Basta», no ignores su advertencia. Te está enviando información vital para tomar decisiones informadas.

7. Si otras personas, tales como un entrenador de *fitness* o tu pareja, te sugiere intensificar más el ejercicio,

habla con ellos. Comenta las respuestas de tu cuerpo, las lesiones y tus objetivos físicos a largo plazo.

8. Los atletas son muy vulnerables a sobrecargar su cuerpo. Muchos creen que la pérdida de peso mejora el rendimiento. Lo cierto es que, si bien puede aumentarlo ligeramente, esa ventaja no durará. La alimentación potencia la fuerza, resistencia y concentración mental. Consulta a un profesional tus deseos de mejorar tu salud y tu rendimiento atlético.

26

¿Deberías «limpiar» el plato?

Los bebés sanos son incapaces de comer en exceso. El ser humano, al nacer, sabe por instinto cuándo tiene hambre y cuándo llorar para advertir a los demás de la necesidad de ser alimentados. Los bebés dejan de comer cuando están saciados y es imposible obligarlos a seguir mamando o a terminarse el biberón si ya tienen suficiente. Esto demuestra la existencia de sensores biológicos que dictan cuánto deberíamos comer. La sobrealimentación es, en parte, un comportamiento aprendido.

Una de las formas de aprenderlo es en las comidas familiares. Los padres de niños pequeños a menudo los conminan a «terminar» y «limpiar» el plato. Esto sienta las bases del comportamiento, más tarde en la vida, de cuánto comer sobre la base de lo que hay en el plato y no de las necesidades del momento. Sin duda alguna un enfoque inconsciente donde los haya.

Si siempre comes todo cuanto te han servido, es probable que tengas problemas. Hoy en día, las porciones en los restaurantes suelen ser excesivas, «gargantuales», y están en una absoluta asincronía con el concepto de alimentación consciente.

Susan se convirtió en una «comedora» consciente. Cuando salía a cenar empezó a cambiar la forma de evaluar lo que se suponía que debería comer. En lugar de rebañar el plato, observó que solía sentirse saciada después de haber consumido dos tercios del menú, y entonces dejaba de comer. También advirtió que si se terminaba cuanto había en el plato, quedaba demasiado llena, una señal evidente de que no había comido conscientemente.

Técnica: ¡Limpia el plato conscientemente!

Experimenta con diferentes cantidades de comida. En lugar de comerte todo el plato, deja un poco y presta atención a la reacción de tu cuerpo. Presta atención a las señales interiores para saber cuándo tienes que parar. En el restaurante, evalúa con cuidado lo que puedes comer «cómodamente» para no sentirte abotargado o demasiado saciado al terminar.

Si eres un clásico «dietético caótico» y a menudo, intencionadamente, dejas la mayor parte de la comida en el plato, inicia un diálogo interior para averiguar la razón por la cual rechazas el alimento. Reflexiona un poco y averigua si es tu cuerpo o tu mente la que envía el mensaje de «Basta». Come hasta que te sientas lleno y presta atención a las señales que envía el estómago en lugar de escuchar a la mente generando una infinidad de pensamientos autocríticos.

La conciencia de los sentimientos

Mediante el esfuerzo y la conciencia,
la disciplina y el autodominio, deja
que el sabio construya una isla para
sí en la que las inundaciones no cons-
tituyan una amenaza.

BUDA

TERCERA PARTE

La conciencia de los sentimientos

27

Afronta la alimentación emocional

A cada evento le corresponde un sentimiento. Al igual que clasificamos toda clase de objetos, como calcetines, facturas y dinero, también deseamos contar con una forma sencilla y organizada de comprender nuestros sentimientos. En general, solemos clasificar las emociones, incluso las más complejas, en tres simples categorías: agradables, desagradables o neutras.

Los sentimientos, también llamados «emociones», son una miríada de sensaciones complejas, confusas y en constante cambio que pueden inundar o nublar la conciencia. Los sentimientos son como la climatología: natural e incontrolable. La clave reside en predecir las tormentas de intenso disgusto o irritabilidad y el vacío de un día frío y solitario. Protege tu clima interior de condiciones extremas. Recuerda que los sentimientos vienen y van, y evolucionan rápidamente, y esto requiere un ojo observante y flexible. Así pues, no reacciones a ellos cuando afloren o antes de haber comprendido su origen. Los sentimientos son extremadamente fugaces. Fíjate en cómo funciona la memoria. Piensa, por ejemplo, en algo que te disgustó sobremanera en el pasado. Hoy es más que probable que no te altere lo más mínimo. Incluso podrías reírte de aquel suceso. El hecho de sentir una emoción no significa que tengas que hacer algo acerca del particular. Etiqueta los sentimientos como «simplemente eso, sentimientos», dales un nombre y dejarán de influir en ti.

Usa la meditación para no perder el contacto con tus emociones. Identifica qué sentimientos tienes repetidamente antes de y después de comer. ¿Vergüenza, culpabilidad, enojo? ¿Una combinación de los tres? Piensa en cómo te enfrentas a estos sentimientos. ¿Te impiden seguir analizando tu comportamiento paralizando tu capacidad de pensar? ¿Eres consciente de tus juicios? ¿Cuántas veces al día tu mente traduce «Esta comida es mala para mí» en «Soy una mala persona», o «Hoy he comido realmente bien» en «Soy una buena persona»? Deja de esperar tu veredicto en relación con tus sentimientos cada vez que comes y toma conciencia del proceso. Te ayudará a realizar elecciones más acertadas acerca de la alimentación a partir de tus necesidades nutricionales en lugar de tus sentimientos.

Técnica: Adelante y atrás

> La meditación aporta sabiduría; la falta de meditación conduce a la ignorancia. Conoce bien lo que te permite avanzar y lo que te retiene, y elige el camino que lleva a la sabiduría.
>
> BUDA

Si has atravesado por un período de alimentación inconsciente, piensa en lo que ocurrió antes. Vuelve sobre tus pasos, evoca las experiencias pasadas e identifica todo cuanto te ha conducido hasta donde estás ahora. Sigue los pasos siguientes:

1. Formúlate estas preguntas: «¿Qué te incitó a comer inconscientemente?», «¿Qué ocurrió justo antes de empezar a comer de esta forma?». Con frecuencia, examinar el contexto de la situación te reconduce hasta los sentimientos y pensamientos que desencadenaron la situación. Existen muchos factores que podrían haberte hecho susceptible a una alimentación incontrolada.

2. Una vez evocado el incidente del pasado, recréalo minuto a minuto, esta vez hacia adelante, y toma conciencia de los sentimientos que despertaron en ti la necesidad de comer inconscientemente.

3. Después de haber repasado aquel suceso, intenta determinar lo que hubieras podido hacer de otro modo y compromete en el recuerdo las circunstancias de esta crítica situación.

Control de estados de ánimo difíciles

Los caóticos, sobrealimentados e infraalimentados inconscientes suelen responder de una manera similar a los sentimientos extremos. Las emociones intensas, positivas o negativas, se transforman en una carga abrumadora y a menudo intolerable, con un consiguiente deseo de «librarse de ellas» lo antes posible. Comer es una forma de cambiar o modular emociones rápidamente. Utilizamos la comida para aliviar los sentimientos o incluso para bloquear el menor atisbo emocional. También lo hacemos para serenar o intensificar los sentimientos, para liberar emociones y recuperar el control sobre los estados de ánimo.

Técnica: No dejes que te devoren las emociones

Los siguientes ejercicios te ayudarán a enfrentarte con emociones difíciles en el preciso instante de su emergencia en lugar de dejar que te consuman.

1. Identifica el sentimiento. La plena conciencia es siempre la clave. Escríbete una carta describiendo la emoción. Primero obsérvala y luego descríbela.
2. Imagina que puedes cuantificar el nivel de la emoción y ajustarla, al igual que puedes sintonizar el dial que programa el volumen de la radio. Si estás a diez, elabora un plan acerca de lo que debería acontecer para reducirlo a seis.
3. Si te sientes ansioso, relaja el cuerpo y reconecta con él. Siente los pies en el suelo, deja caer los hombros y libera la tensión en el cuello. Fíjate en lo que sientes al no resistirte a la fuerza de la gravedad.
4. Si te sientes estresado, imagina que te estás dando un masaje. Visualízate echado boca abajo. Primero concéntrate en los pies e imagina que les das un relajante masaje con aceites esenciales: las plantas, el arco de los pies, los tobillos. Deja en la imaginación que el masaje viaje a través del cuello, los hombros y los brazos hasta la punta de los dedos. Ahora imagina que te vuelves boca arriba y sientes la profundidad de la presión de los músculos en la región lumbar.
5. Si estás triste, sigue así. No luches para evitarlo. Alquila una película triste, llama a un amigo y co-

méntaselo. Debes comprender que los sentimientos negativos no son intolerables o aterradores. Se pueden aceptar.

6. El enojo es una emoción particularmente compleja que a menudo se produce como un efecto secundario de una emoción primaria. La frustración, el dolor.o el miedo a una pérdida pueden esconderse detrás de un sentimiento de disgusto. Admite la ira y descubre su causa. Toma una instantánea del momento. Echa la vista atrás y toma la misma fotografía con una lente panorámica. ¿Qué otras cosas aparecen en la imagen? Buda dijo: «Empeñarse en la ira es como aferrarse a un carbón ardiente con la intención de arrojárselo a otro. En cualquier caso, quien se quema eres tú».

7. Si te sientes culpable, confiésate. Admite ese sentimiento y recuerda que la conciencia no admite juicios. Si te descubres sumido en un mar de autocrítica, reflexiona. Imponerte un castigo sólo desencadenará otro ciclo de alimentación inconsciente. Te haces más fuerte mostrándote compasivo contigo mismo, y tu compasión evitará la emergencia de sentimientos negativos que pudieran perpetuar la alimentación inconsciente.

8. Si te abruman las emociones y, como suele ser habitual, las rechazas, imagina que tienes una válvula de presión en el organismo. Ábrela lentamente y deja que la emoción vaya escapando poquito a poco. Recuerda que eres tú quien controla la manecilla que regula la válvula.

9. Rituales a mediodía o al término de la jornada. Los rituales pueden ser útiles para liberar las

emociones que se han acumulado durante el día. Las rutinas diarias fomentan la conciencia. Escribe una página en tu diario, canta una canción relajante, quema incienso o repite una oración en voz alta. Procura hacerlo a la misma hora cada día. Practicar un ritual es similar a los sentimientos que percibes cuando escuchas una melodía que conoces. Es familiar, sencilla y puedes predecir la nota siguiente.

10. Si sientes un deseo irrefrenable de lesionarte, llama a la policía o al servicio médico de urgencias. No esperes; hazlo de inmediato. Significa que las emociones que estás experimentando son demasiado intensas como para poder controlarlas. Busca un lugar seguro con personas que puedan ayudarte y modera y comprende tus sentimientos.

La resistencia es una de las disciplinas más difíciles, pero también la que anuncia la victoria final.

BUDA

28

Metáforas conscientes: visualiza tus sentimientos

Me aterra comer grasas porque temo hincharme como un enorme balón de playa, ese tipo de balón al que la gente le propina puntapiés, deja flotar en el agua a medida que se aleja y cree que no merece la pena el esfuerzo de nadar hasta él para recuperarlo.

Me siento despellejado, algo así como si las emociones tocaran los terminales nerviosos. Cuando me mira la gente me siento desnudo y desprotegido, y ansío una piel porosa emocional que les franquee la entrada y me proteja del miedo a que evalúen mi cuerpo.

Estas afirmaciones son dos ejemplos de las múltiples metáforas que crea la gente para describir la experiencia de la alimentación problemática e inconsciente. Crear y describir analogías, parábolas, mitos, historias y anécdotas personales ayuda a ver más allá de la superficie de los problemas. Transformar tu experiencia en una imagen o una metáfora poética te permitirá echar la vista atrás y examinar el problema desde una perspectiva diferente.

Kate, por ejemplo, intentaba aliviar su sentimiento de culpabilidad acerca de la alimentación y sus torturantes pensamientos en relación con su cuerpo visualizando una metáfora de alimentación consciente. Comparaba la fatiga crónica que experimentaba a causa de la falta de calorías con un coche que se detiene al quedarse sin gasolina. Se visualizaba como un pequeño Volvo azul, y la comida que ingería era el combustible con el que llenaba el depósito. Cuanto más ocupada estaba y con más fuerza pisaba el pedal del acelerador, más a menudo tenía que reabastecerse de gasolina de calidad extra (proteínas, hidratos de carbonos complejos, etc.), y no con un combustible barato (refrescos dietéticos, galletas, patatas fritas, etc.). Kate empezó a tomar conciencia de la forma en que se movía su cuerpo y de sus numerosas funciones esenciales, tales como respirar y caminar, y de que si no se comportaba conscientemente, perdería el control del vehículo, chocaría y se haría daño.

Técnica: Crear metáforas de alimentación consciente

Si pudieras describir tu estilo de alimentación, ¿cómo sería? Piensa en su color, forma y tamaño. ¿Sería como un animal, una persona, un lugar o un objeto? Cuando hayas observado y descrito la imagen, puedes empezar a transformarla en otra más consciente.

29

Controla tus sentimientos con la nariz

Si no sabes cómo te sientes, tu respiración te lo dirá. La respiración refleja tus emociones. Si estás ansioso o estresado es superficial y rápida, y si estás relajado es lenta y rítmica; si «contienes» la respiración es una señal de que estás atemorizado, y si estás enamorado, «te quedas sin respiración». Así pues, prestando atención a la respiración puedes ser consciente de tus emociones interiores. Si no consigues saber lo que estás sintiendo, párate a pensar, concéntrate en la respiración y deja que te ayude a sintonizar con tus sentimientos.

Técnica: Respira profundamente antes de comer

Para muchas personas comer es un evento estresante. Si es tu caso, siéntate a la mesa y prepárate para situarte en un estado de conciencia antes de empezar a comer. Centra toda tu atención en las sensaciones corporales. Relájate y ponte cómodo. Apoya bien la espalda en el respaldo de la silla y sé consciente de tu postura. Distiende los músculos, cierra los ojos y suelta el cuerpo. Tensa y relaja los músculos. Inspira lenta y profundamente una cantidad suficiente de aire que permita al diafragma expandirse y encogerse. Concéntrate en el sonido de la respiración. Escúchala y percibe las sensaciones mientras respiras. Siéntete relajado mientras liberas la tensión y «abandonas» el cuerpo. Sigue el aire viajando a través de la nariz y la garganta, llenando los pulmones y expandiendo el pecho. Dedica un breve instante a conectar con tu respiración mientras te dispones a comer conscientemente.

30

¿Cuánto pesas (psicológicamente)?

A veces una balanza se convierte no sólo en un instrumento de medida del peso, sino también en la medida de tu valía y un poderoso determinante de tu estado de ánimo y bienestar. Por desgracia, cuando esto sucede, pierdes el sentido de control. Cuando la balanza muestra un número que te disgusta, es posible que te juzgues con excesiva dureza. Esto puede amenazar tu equilibrio, pues te ves dominado o absorbido literalmente por el poder de la autocrítica. No te juzgues; es preferible evaluar tu valía personal psicológicamente.

Técnica: Pesar la autoestima

Medita acerca de los problemas de la alimentación y el apetito que tienes. Procura disminuir el peso de otras tensiones en tu vida y evitar que todo gravite en torno al peso físico. Piensa en cómo te sientes intelectual, moral, física, social, económica y espiritualmente. ¿Qué aspecto de tu vida está más desequilibrado y se manifiesta en la balanza? Ahora piensa en aquellas veces en la vida en que te sentías a gusto contigo mismo, identificando con claridad las que no estén relacionadas con tu cuerpo o tu aspecto físico. Considera lo que puedes hacer para sentirte satisfecho de ti mismo y que no esté asociado a la alimentación o al peso.

31

Alimentación y relaciones

A menudo, la calidad e intensidad de tus relaciones con las personas importantes en tu vida son indicadores de tu relación con la alimentación. Puede ser útil pensar en tus interacciones con la comida en términos de «relación», ya que comer es una parte integral de la rutina diaria. Tomas decisiones cada día acerca de la mayor o menor prioridad y atención que prestas a la alimentación de un modo similar al equilibrio de las prioridades y la atención que prestas a tu pareja, familia y amigos. La forma de comer puede reflejar la naturaleza de tus relaciones con los demás. Por ejemplo, si eres un dietético crónico y crees que tu valía es inseparable de tu peso, es posible que tus relaciones no sean demasiado profundas, o si evitas determinados alimentos, probablemente sean más superficiales, y en ocasiones incluso unidimensionales, derivando en tal caso en sentimientos de aislamiento y desconexión.

Janet, por ejemplo, describía su relación con la comida como la de un acusado en un «juicio» continuo. Con cada bocado se sentía impulsada a recordarse todas las razones nutricionales por las que «debería» consumir tal o cual alimento para convencerse de que el jurado invisible en su mente no la responsabilizara de un potencial aumento de peso. Asimismo, interactuaba con sus amigos de un modo igualmente sospechoso. Se sentía culpable de decir «no» a alguien y pasaba horas agónicas intentando tomar una simple decisión acerca de salir o no salir con un amigo.

Técnica: Se acabaron las luchas por la alimentación

Sé consciente del significado de la alimentación en tu vida y de cómo puede traducirse en tus relaciones. ¿Cómo definirías tu relación con la comida? ¿Como un amor secreto en lugares tranquilos y apartados? ¿Guardas en secreto tus hábitos de alimentación y no se los cuentas a nadie o se trata de una relación de amor-odio? ¿Los alimentos que tanto ansías te hacen sentir culpable cuando no puedes resistir a la tentación? ¿La comida es un buen «amigo» cuando lo necesitas o un «enemigo» constante que intentas derrotar o evitar? Describe tu relación con la alimentación y piensa en el tipo de relación que desearías establecer. Busca un amigo o compañero justo, imparcial y abierto a la comunicación, y negocia constantemente las necesidades en litigio de tu cuerpo y de tu mente.

Las relaciones pueden derivar en alimentación inconsciente

Buda dijo: «Un amigo perverso e indigno de confianza es más temible que una bestia salvaje; la bestia salvaje te herirá el cuerpo, pero el amigo perverso te herirá la mente». Este adagio ilustra sucintamente hasta qué punto es perjudicial una relación negativa para el estado mental y la sensación de bienestar. Los problemas interpersonales son culpables de limitar la capacidad de vivir y actuar conscientemente. La preocupación por tus relaciones ocupará el primer plano de tu mente. Preguntas tales como «¿Gusto a la gente?» y «¿Qué piensan de mí?» pueden ser el pan nuestro de cada día. Las dificultades de relación te pueden consumir e impedir que te concentres en la tarea que tienes entre manos, que no es otra que estar presente para la gente importante en tu vida y gozar intensamente de ella.

Una pregunta habitual es: «Si mi cuerpo no es atractivo, ¿gustaré a los demás?». Es cierto que con frecuencia muchas personas emiten juicios a partir del aspecto físico, pero las verdaderas relaciones se basan en un enfoque holístico de los demás, apreciando todos sus aspectos. La conciencia no valora a alguien por su pasado o su futuro, sino por lo que son en el momento presente. Manténte en contacto con tus reacciones y lo que «sientes» y «percibes» en presencia de un amigo en lugar de lo que «sabes» de su pasado o crees que será su futuro.

Quienes tienen problemas de alimentación a menudo son complacientes, procurando que los demás sean felices, con frecuencia a costa de su propio bienestar, lo cual inhibe la conciencia, pues están continuamente anticipando cómo reaccionarán en lugar de vivir el presente, y tomando decisiones basadas en lo que sienten y perciben en el momento en lugar de pensar en las cosas tal cual son.

Técnica: Examen de las relaciones

1. Si te preocupa lo que los demás piensan de tu cuerpo, empieza evaluando la calidad de tus relaciones. ¿Juzgas a quienes te rodean única y exclusivamente por su

apariencia? Si eres crítico contigo mismo, ¿lo «proyectas» en los demás y asumes que esto es lo que piensan de ti? Considera cómo podría influir esto en tus relaciones. ¿Qué temes que lleguen a descubrir las demás personas si saben cómo eres realmente?

2. Cuando estés con otras personas, estáte realmente con ellas. Míralas a los ojos, toca sus manos y concéntrate en la conversación. Fíjate en los sentimientos y pensamientos derivados de la relación.

Técnica: Conversación corporal consciente

1. Adquiere una mayor conciencia de los mensajes que recibes y envías a tus amigos. Buda dijo: «Con una vela se pueden encender miles de velas, y la vida de la vela no se acortará. La felicidad nunca disminuye si se comparte». No realices comentarios «grasa-fóbicos», examines el cuerpo de los demás o bromees de su peso. No participes nunca en conversaciones disparatadas acerca del aspecto físico de otra persona, y si cometes el error de hacer un comentario crítico, contrarréstalo inmediatamente con una observación positiva. Cumplimenta sinceramente a los demás.

2. Nunca, nunca, pero nunca hagas comentarios sobre el peso de otra persona. No sabes cómo puede influir en ella. Quienes comen inconscientemente siempre comentan que los comentarios de los demás, tanto positivos como negativos, sobre su peso, afectan a sus hábitos alimentarios. La infraalimentación inconsciente, insana y peligrosa se ve potenciada cuando los seres queridos y los compañeros de trabajo, con toda la buena intención del mundo, dicen: «¡Vaya! ¡Qué delgado estás!» o «Estás

estupendo hoy». No hagas hincapié en el peso. Decirle a alguien que está «gordo» o que parece haber «ganado peso» puede ser muy cruel. Valora a las personas no por sus nalgas, muslos o vientre, sino por su mente y su corazón.

32
Corazón y hambre: ansias

Marie tenía un deseo para el día de San Valentín: que le regalaran un enorme corazón de terciopelo lleno de bombones. Llevaba días soñando e imaginando lo bonita que sería aquella caja. Aunque parezca una ironía, a causa de una alergia a los lácteos, ni siquiera le gustaba el chocolate y casi nunca lo comía. En realidad, Marie no se daba cuenta de que lo que valoraba realmente no era el chocolate, sino lo que simbolizaba el gran corazón carmesí. Quería ser amada y que su amante le expresara su amor con aquel regalo. Esta anécdota ilustra el tipo de confusión que puede existir entre lo que ansía el corazón y lo que exige el estómago.

La teoría budista identifica el ansia con la raíz del sufrimiento. Las ansias emocionales pueden ser más poderosas, insaciables y destructoras que el hambre físico. Tus deseos emocionales no son tan predecibles como tu deseo de comer. A medida que vayas tomando conciencia, empezarás a saber qué es exactamente lo que tu corazón tanto ansía, ya sea compañía, amor, pareja, poder o control. A diferencia de la alimentación, estas nostalgias no son fáciles de satisfacer. En ocasiones se malinterpretan las ansias del corazón y se intenta sentir el cuerpo cuando lo que se necesita en realidad es cuidar mejor el alma.

Por ejemplo, antes de que Jessica empezara a comer inconscientemente, era especialmente vulnerable a comer en exceso cuando se sentía triste o sola. Ahora, en lugar de buscar la comida como factor reconfortante, llama a un amigo. Se siente tan a gusto hablando con los demás que deja de pensar en la comida, al tiempo que disfruta de su compañía.

Técnica: Diario consciente

Lleva un registro de tus emociones y deseos. Lleva siempre en el bolsillo un pequeño diario y ve anotando tus emociones y tus ansias en el mismo momento en el que las experimentes. También puedes comprar un calendario desglosado en horas. Examínalo al final del día para verificar posibles pautas o tendencias emocionales. Si pasas la mayor parte del tiempo delante de un ordenador, crea un archivo de texto al que puedas acceder con facilidad y anota tu evolución emocional a lo largo del día.

Además de los sentimientos, anota y revisa tus sueños diurnos. Te darán una idea de lo que ansías conscientemente. Si imaginas una relación especial, es probable que estés pidiendo amor y atención a gritos, y si sueñas con un ascenso en el trabajo, podrías desear intensamente poder, control o estimulación intelectual. Considera lo que podrías hacer para satisfacer tus deseos.

33

El banquete de los días festivos

La mayoría de las personas esperan afanosamente los tradicionales festines de los días festivos, un tiempo de gozosa celebración para todos excepto para quienes comen inconscientemente. Para ellos, las reuniones que giran únicamente en torno a la comida pueden resultar no tan satisfactorias. La preocupación por ganar algún que otro kilito más no es, desde luego, algo digno de ser celebrado. Los días festivos elevan las comidas a un estatus especial e invitan a comer excesivamente, o lo que es lo mismo, inconscientemente.

Pasar un largo rato con los parientes en estos días tan señalados no hace sino añadir más leña al fuego. Reencontrarse con la familia puede resultar tan dichoso como estresante. En realidad, las emociones están a flor de piel y no es inusual que surjan conflictos, reactivando sentimientos de inadecuación o de sentirse controlado, rechazado o querer agradar. Asimismo puede evocar intensos recuerdos de días felices del pasado y nostalgia ante el deseo de mantener un contacto más regular con la familia aun a sabiendas de que, a causa de la distancia o del ajetreo de la vida diaria y el trabajo, no será posible. Una mujer describía las fiestas de Navidad como el mayor de los desafíos; doble dosis de sus puntos más débiles: familia y comida.

Técnica: Planificación de los menús festivos

- Planifica las celebraciones con antelación. Piensa en el menú que define, para ti, un día festivo y compra un poco de eso que tanto te gusta. Prepara tú mismo la comida para controlar mejor el menú y procurando que no aumente tu vulnerabilidad a una alimentación inconsciente.

- Si vas a comer en casa de algún familiar, toma un tentempié antes de salir. No esperes hasta después del partido de fútbol. De lo contrario, tu cuerpo te enviará mensajes de hambre que podrían ser difíciles de satisfacer de un modo controlado.

- Recuerda que la comida étnica es una excelente alternativa y que suele fomentar una alimentación consciente.

- Si eres un infraalimentado crónico, las festividades pueden ser extremadamente complejas. Echa la vista atrás y determina lo que te gustaría comer antes de que aparezcan los primeros signos de una irremisible alimentación inconsciente. Comer debería hacerte sentir feliz. Conecta con el significado de la fiesta y celebra tu libertad para elegir una alimentación consciente.

- Para evitar comer en exceso, permanece en contacto minuto a minuto con la experiencia. A la mesa, come lentamente y obsérvalo todo detenidamente. Huele y saborea la comida. Respira la atmósfera festiva.

- Terminado un plato, espera veinte minutos antes de empezar el segundo. La parte del cerebro encargada de regular el apetito tarda aproximadamente veinte minutos en registrar lo que estás comiendo y enviar al cuerpo la información de que estás saciado. Deja que cuerpo y mente dispongan del tiempo suficiente para enviar y recibir estos mensajes.

- Si la misma comida se puede preparar de diferentes maneras, elige tu favorita. Por ejemplo, entre puré de patatas y patatas al horno, opta por lo que más te guste o prepara un poco de cada.

- Si tienes dificultades para saber cuánto has comido, no llenes el plato; distribuye bien la comida y déjalo a medio llenar. Empieza así y luego espera a ver cómo responde tu cuerpo.

34
Cenar fuera

Dependiendo de tu relación con la comida, comer fuera de casa puede ser un disfrute especial o una pesadilla. A Jill, por ejemplo, le encantaban los cafés pintorescos y era una habitual en muchos restaurantes tailandeses. Comiendo fuera, no tenía que cocinar, al tiempo que gozaba de aromas que iban mucho más allá de sus dotes culinarias. El reverso de la moneda era la preocupación por el exceso de calorías. No controlaba la elaboración del menú, no sabía cuántas calorías estaba ingiriendo y se sentía culpable. Cuando salía a cenar como recompensa tras un arduo día de trabajo, siempre comía excesivamente. Cenar fuera era una mezcla de intenso placer e igualmente intenso remordimiento.

Que cenar en un restaurante sea algo especial para ti no significa que tengas que comer inconscientemente. La ingesta debe ser atenta, consciente y exenta de autocrítica. Puedes comer conscientemente tanto fuera de casa como en casa, comiendo despacio y saboreando largamente los alimentos. Acostúmbrate a pensar en el ambiente del restaurante y en el servicio en lugar de la comida. Salir a cenar es a menudo una forma de entretenimiento o evento social, y en ocasiones tal vez te veas forzado a elegir entre mostrarte sociable o precipitarte en el abismo de una alimentación inconsciente. Sin embargo, estas dos cosas no tienen por qué ser excluyentes. Si cenar fuera con los amigos evoca en ti sentimientos negativos o es causa de estrés, analiza lo que subyace debajo de esta preocupación. El miedo que sientes podría inducirte a dar por sentado que vas a perder el control. Para combatir el miedo, aprovecha la ocasión como una oportunidad para mostrarte consciente de tus relaciones y practica las técnicas de la alimentación consciente.

La «comparación de alimentos» es un fenómeno común, aunque perturbador, al que tenemos que enfrentarnos cuando comemos con los amigos. Quienes comparan la comida suelen encargar el menú dependiendo de lo que piden los demás. Es un ejemplo de alimentación inconsciente, ya que lo que realmente impera en tu decisión es un comportamiento ajeno. La experiencia de comer y la relación con la comida son exclusivamente tuyas. De ahí que sea importante concentrarse y meditar acerca de esa experiencia. Encarga siempre lo que te apetezca independientemente de lo que vayan a comer los demás.

Técnica: Once días de cenas fuera

1. El primer paso en la planificación de una velada fuera de casa es elegir bien el restaurante, uno que ofrezca una amplia selección de alimentos sanos y deliciosos. Evita los *buffets*, los *self-service*, los restaurantes de tres platos o los de oferta limitada. Algo parecido a evitar la charcutería cuando tienes hambre.

2. Para no incurrir en una alimentación inconsciente, toma un pequeño tentempié antes de salir de casa. No llegues al restaurante con un apetito voraz ni «ahorres» calorías para la comida. Si te sientes moderadamente

hambriento en lugar de muy hambriento te será mucho más fácil elegir conscientemente y rechazar alimentos que normalmente no comerías. Una persona con un apetito desmedido engullirá cuanto le pongan en el plato. Con un apetito moderado se elige mejor. Asimismo, si estás hambriento, encargarás un menú excesivo. Para evitar la sobrealimentación, opta por algo similar a lo que prepararías en casa, come despacio y disfruta de la experiencia.

3. Come conscientemente y sintoniza tu relación con las personas y la comida. Habla, ríe y pasa un buen rato. Si te sientes atenazado por pensamientos de culpabilidad acerca de lo que estás comiendo, cierra los ojos y concéntrate en un 90 % en quienes están compartiendo la ocasión contigo.

4. Si eres un «comparador de alimentos» o estás obsesionado con el peso, pide primero para no caer en la tentación de dejarte llevar por lo que pidan los demás. Refiérete a la comida en términos positivos, destaca su sabor y no participes en comentarios hipercríticos en relación con la alimentación. No salgas a cenar con personas que aumentan tu nivel de ansiedad o que siempre están hablando de sus problemas con la comida y el peso. Busca buenos modelos de rol.

5. Encargar juntos y compartir la comida es una idea excelente. Si tienes mucho apetito y te gustaría comer algo que normalmente no sueles comer, como por ejemplo un apetitoso postre, pide a alguien en la mesa que comparta la mitad contigo. Compartir comida exótica puede ser muy divertido. Decide de común acuerdo con el otro comensal y habla de lo que te gusta y lo que te desagrada en lugar de lamentarte por lo que no puedes

permitirte el lujo de probar, so pena de «engordar». Diviértete y disfruta de la cena.

6. No juzgues lo que comen los demás. A nadie le apetece cenar con una persona que critica el menú que ha elegido. Si uno encarga un codillo de cerdo rebosante de grasa que ni se te pasaría por la cabeza meterte en el estómago, estáte atento a tu reacción y piensa: «Estoy juzgando cuando debería ser más tolerante. Siento envidia y ganas de criticar al mismo tiempo. Tengo que concentrarme en mi comida y sólo en ella». Otras veces podrías sentirte culpable de que tu pareja «más delgada» está comiendo menos que tú. De nuevo, sé consciente de tus necesidades.

7. Procura que la comida se convierta en una forma de celebración o una fuente de placer. Compra un regalo, envía una tarjeta de felicitación o deja un mensaje original en el buzón de voz. En ocasiones, las personas bromean acerca de la necesidad de un «arreglo de chocolate» para remediar la carga de un día estresante. Bien sabes que la comida, a largo plazo, no arreglará ni solucionará nada. La idea de que comer es un placer divino resulta indudablemente peligrosa.

8. No conviertas en un espectáculo el encargo del menú. En ocasiones a la gente le gusta obtener la aprobación general, o una reacción de envidia, pidiendo un menú sin queso, aceite, mantequilla, etc.

Encarga el tuyo a tenor de tus preferencias y sin esperar una respuesta en los demás comensales.

9. Evita el picoteo de tentempiés inconsciente. Cuando traigan el pan, toma sólo una o dos rebanadas. El pan y la mantequilla figuran entre los alimentos que se suelen comer de una forma más inconsciente. Asimismo,

cuando hayas terminado de comer, haz el plato a un lado o pide al camarero que lo retire. Es fácil caer en la tentación de repetir o rebañarlo con más pan.

10. No identifiques la vida social con la comida. Si tus amigos te piden para salir a cenar con frecuencia, sugiéreles de vez en cuando tomar un café o un té. Planifica actividades que no estén relacionadas con la comida, tales como paseos o ir al cine. También puedes invitarlos a comer a tu casa y preparar tú la comida.

11. No organices comidas de negocios. Es difícil prestar atención a lo que se come cuando hay que implicarse en conversaciones esenciales para el trabajo o de elevado contenido emocional. La gente suele recurrir inconscientemente a la comida para aliviar la tensión.

35

Acepta tus genes

La familia de Betsy bromeaba de que, al igual que otras mujeres de la familia, había desarrollado la maldición de las caderas de «cerdito». En efecto, todas las mujeres por parte paterna tenían unas caderas anchas y robustas, y unas nalgas asombrosamente voluminosas en comparación con la esbelta y delgadita figura con la que tanto había soñado desde entrada la adolescencia. Examinando el linaje familiar era evidente que sus deseos de enfundarse una talla 40 serían siempre un sueño irrealizable, independientemente de las dietas que siguiera y del ejercicio físico que realizara, su estructura ósea y la silueta de su cuerpo no cambiarían. Asimismo, la moderación en la comida en la familia brillaba por su ausencia. Un inconveniente más.

La forma del cuerpo y el peso dependen en buena parte de la genética. Tu estructura ósea, el metabolismo y los depósitos grasos están determinados por tu código genético al igual que el color de los ojos, del pelo y la estatura.

La teoría del «punto estable» postula que el cuerpo tiene un coeficiente de peso predeterminado genéticamente. Intenta mantenerlo dentro de unos límites y ajusta automáticamente el metabolismo y la capacidad de almacenamiento de alimentos para evitar ganar o perder peso más allá del punto estable. Esta teoría sugiere que poco se puede hacer para cambiar la forma del cuerpo, de la misma manera que la talla del zapato, la estatura y el color de los ojos son una parte predeterminada de ti. Sólo cabe la posibilidad de usar lentes de contacto coloreadas o un calzado de tacón alto. De un modo similar, puedes modificar el aspecto de tu cuerpo con las prendas de vestir o tonificando los músculos con ejercicio.

Angie, por ejemplo, medía 1,50 m y pesaba entre 51 y 56 kg. Si comía conscientemente, su peso se mantenía fácilmente dentro de este rango. Cuando pesaba 51 kg le resultaba extremadamente difícil perder un poco más de peso, y se sentía incómoda cuando sobrepasaba el límite superior. Su capacidad de escuchar a su cuerpo la ayudó a comer conscientemente y a mantenerse siempre dentro de los límites de peso «naturales».

Técnica: Identifica tu forma corporal natural

Confecciona un árbol familiar, e identifica a los miembros de la familia que, desde siempre, han comido inconscientemente. Si la comida y el peso no han sido un tema clásico de conversación, busca fotografías y observa cómo ha cambiado su cuerpo desde la infancia hasta una edad avanzada. Verifica si la sobrealimentación, infraalimentación o dieta caótica ha constituido una pauta familiar, y siempre que tengas ocasión, aprecia y elogia rasgos genéticos tales como el color único de los ojos o el pelo rizado natural.

Familias de adopción y ansiedad por la comida

Si te adoptaron o sueles comer con personas diferentes de tus padres biológicos, tus cuidadores primarios siguen desempeñando un papel muy significativo en tus hábitos alimentarios. Influyeron en ti por su forma de alimentarte y con los mensajes que te transmitieron acerca de la comida. La madre adoptiva de Linda es un buen ejemplo de cómo se aprenden unos hábitos de alimentación inconsciente, aunque sutiles. Aunque no forzaba a la niña a seguir una dieta, restringía constantemente su propia ingesta de alimentos. Linda observaba los hábitos de su madre y los incorporó subconscientemente a su propia rutina, negándose a comer los alimentos que su madre evitaba porque contenían «demasiadas grasas». No infravalores nunca la importancia del entorno y los modelos de rol.

Técnica: Identifica los hábitos de alimentación aprendidos

Haz una lista de los «menús típicos» de la infancia y adolescencia, anotando cuántas veces al día comías y cuáles eran los alimentos y tentempiés habituales. ¿Qué tipo de mensajes recibías acerca de tu cuerpo y cómo comías de niño y adolescente? ¿Cómo te afectan ahora aquellos mensajes? ¿Qué clase de cultura alimentaria quieres establecer en tu propia familia?

36
Evita las trampas inconscientes de la alimentación

La alimentación inconsciente es más probable que se produzca en el mismo lugar una y otra vez. Para hacer más fácil la vida, la mente saca partido de cualquier «cortocircuito» a su alcance. Por ejemplo, cuando buscas ropa interior, tu mano se dirige automáticamente hacia el cajón dónde la guardas. Si reordenas el cajón y colocas la ropa interior en otro lugar, tu mano seguirá dirigiéndose hacia el cajón anterior hasta que se formen nuevos cortocircuitos en el cerebro. Realizamos conexiones entre eventos y tenemos que esforzarnos muchísimo para romper y crear nuevos vínculos.

Si practicas la alimentación inconsciente en determinados lugares, tu cerebro recordará subconsciente ese hábito. No comas nunca delante del televisor, ordenador, mientras conduces o hablando por teléfono. Son los emplazamientos más habituales de alimentación inconsciente. El punto vulnerable de Jessica era la cocina. Para controlar la situación, creó un espacio de alimentación consciente en casa, lejos del frigorífico, el teléfono, el televisor y otras distracciones. Antes de comer, disponía en la mesa todo lo que iba a tomar para no tener así que volver a la cocina. Aprendió a relajarse y a respirar rítmicamente entre cada bocado, y a prestar atención al proceso de comer. Todo esto la tranquilizó lo suficiente como para disfrutar de las comidas de una forma consciente.

Las comidas de estilo cafetería fomentan una alimentación incontrolada y desequilibrada. La abundancia desestructurada de alimentos hace de estos restaurantes un lugar ideal para una alimentación automática e inconsciente. En lugar de elegir lo que gusta, sueles decidir sobre la base de pensamientos tales como «Tengo que gastar poco dinero» o «Quiero probarlo todo». Para los sobrealimentados, los *buffets* les presentan un mar abrumador de posibilidades. Indefectiblemente comen sólo los alimentos con los que están familiarizados en lugar de probar cosas nuevas. Tanto para los infraalimentados como para los sobrealimentados y dietéticos caóticos, la ansiedad causada por demasiada comida puede nublar el gozo que podría ofrecer un buen *buffet*. Procura no frecuentarlos hasta haber incorporado hábitos de alimentación consciente a tu vida diaria.

Técnica: Descubre tus señales de alimentación consciente

Observa en qué situaciones sueles comer sin control. Estáte atento a las señales de tu cuerpo. Identifica los lugares en los que casi siempre comes inconscientemente. ¿En la cocina, en la cafetería, en la oficina? Busca formas de crear un espacio en tu entorno que invite a la alimentación consciente. Procura que esté ordenado y libre de distracciones mientras comes. Retira si es posible los teléfonos o los relojes.

Procura que el lugar elegido no esté orientado a la cocina (o al frigorífico). Dispón la comida en la mesa antes de empezar a comer para que no tengas que levantarte. También puedes crear un espacio nuevo, a la medida de tus necesidades. Un entorno de paz que sosiegue la mente. Si lo deseas, puedes quemar incienso o cambiar la iluminación. Añade un mantel atractivo y flores frescas. Pon música relajante y cuelga un rótulo en las zonas de peligro que diga: «Comer conscientemente» a modo de recordatorio.

37

Sáciate de diversión

Desafortunadamente, el aburrimiento o la sensación de vacío son razones muy comunes por las que la gente come cuando en realidad no tiene hambre. Comer o pensar continuamente en la comida llena una buena parte del tiempo, e incluso, de algún modo, podría ser justificable; la soledad puede ser tan dolorosa como un estómago vacío. Si pensar en la comida llena una parte significativa del día, podrías reorganizar tu energía. Concéntrate en otras actividades que te satisfagan tanto como la comida y alimenta también el alma.

Técnica: Bloqueadores del aburrimiento

Confecciona una lista de actividades que te permitirán mantenerte alejado de la comida o de pensar en ella en los momentos bajos de estado de ánimo. Recuerda: «Un corazón generoso, una conversación amable y un servicio compasivo a los demás son fuerzas renovadoras». Sé consciente, despeja la mente y ponte en marcha. Sal de compras, lee, practica deportes o hobbies, llama a alguien, haz la siesta o lleva un diario. Sé consciente del prójimo y dedícale tus pensamientos. No hay mejor manera de satisfacer el corazón y la mente que pasar el tiempo con buenos amigos. Cualquiera que sea tu elección, alimenta la mente participando activamente en el mundo.

38

Conscientemente imperfecto

Julie no creía tener problemas de alimentación. Era una perfeccionista, y de puertas afuera todo en su vida parecía maravilloso. Pero en realidad no lo era. Se había graduado con excelentes calificaciones en la escuela, había encontrado un trabajo magnífico y había sabido ganarse la admiración de sus compañeros. Pero lo cierto es que se sentía constantemente desdichada con su cuerpo y practicaba una interminable «autodesaprobación». La autocrítica plagaba sus pensamientos y le impedía valorar todo lo que había conseguido.

Sentirse mal con uno mismo es una fuente muy habitual de trastornos de la alimentación. Una pésima imagen personal se inicia temprano en la vida, impulsada por diversas experiencias. Actuar «perfectamente» a menudo atrae la atención, validación y elogio. Tanto si se trata de un *cum laude* en la universidad o de un cuerpo tonificado y escultural, vivir a estándares extremadamente elevados es una fuente de elogio y envidia por parte de los demás. Esto puede crear la ilusión de que todo está bien. Pero las consecuencias de intentar vivir a un ritmo alto no realista pueden sumirte en la desesperación y creer que eres un «fracasado» a pesar de todo cuanto has alcanzado.

Si se torturan los pensamientos obsesivos acerca de tu aspecto, podrías temer la posibilidad de no ser lo bastante «bueno» o «inteligente» o «interesante» para ganarte el respeto o la aprobación ajena, o incluso no desear que otros entren en tu vida. Es más fácil esconderse detrás de una apariencia «perfecta», y tener un cuerpo extraordinario contribuye a que los demás crean que «lo reúnes todo»; es muy habitual que el perfeccionismo en un área de la vida intensifique el deseo de tener un «cuerpo perfecto», pero la necesidad de perfección puede ser una trampa que te impida disfrutar de la vida y sentirte orgulloso de tus logros.

Técnica: Esforzarse por una imperfección consciente

¿Eres perfeccionista? ¿Sueles decirte a ti mismo o a los demás cosas tales como «No soy lo bastante bueno», «La gente no me aceptará si cometo errores» o «Tengo que ser el mejor»? Piensa en el origen de estas expectativas no realistas. ¿Te presionaban tus padres para que triunfaras? Para sentirte bien, ¿dependes del elogio de los demás?

1. Si has respondido «sí» a las preguntas anteriores, considera el «coste» del perfeccionismo, sobre todo en términos de salud y de desgaste por el estrés en tu bienestar emocional. Aprende a sopesar las ventajas e inconvenientes de hacer las cosas lo mejor que puedas en contraposición a esforzarte por alcanzar una perfección inasequible.

2. Haz una lista de tus expectativas y objetivos, y evalúa lo «realistas» que son.

3. Haz algo imperfecto a propósito y a pequeña escala. Luego evalúa los resultados.

4. Sé consciente del proceso en lugar de los resultados.

5. Si sientes que estás «hecho un lío» o has tenido un día difícil, recuerda que tu vida no es sólo trabajo. Confecciona una lista de tus cualidades y logros (licenciarte, talento para escribir, cuidar de los niños, etc.). Aunque parezca un ejercicio simplón, en ocasiones, cuando te sientes como si nada funcionara, puedes necesitar un recordatorio tangible de que eres «adecuado» y de que has conseguido muchas cosas en la vida.

Una vez confeccionada la lista, cuélgala donde puedas verla. Cuando estás triste, es más fácil dejarse llevar por lo negativo que recordar lo positivo de uno mismo. Si eres incapaz de identificar tus cualidades, haz la lista con un amigo, y si lo desea, puedes hacer otra para él. Dale una copia y llámalo cuando necesites un recordatorio procedente del mundo exterior. Alguien que pueda recordarte tus puntos fuertes y tu valía debería ser, más que un amigo, un tesoro.

CUARTA PARTE

La conciencia de los pensamientos

El pensamiento se manifiesta como el mundo; la palabra se manifiesta como la acción; la acción se transforma en un hábito, y el hábito se endurece en el carácter. Así pues, observa con cuidado el pensamiento y sus formas, y deja que emerja del amor que surge de la preocupación por todos los seres.

BUDA

39

Cambia el pensamiento inconsciente

El pensamiento inconsciente es algo así como mirarse en un espejo de la casa de la risa. Por una deformación en el cristal, el espejo no puede reflejar una imagen real y te impide verte tal y como eres. Las personas con problemas de alimentación están saturados de pautas de pensamiento deformado similares a las distorsiones de esos espejos. La forma en la que actúa el pensamiento inconsciente hace imposible evaluar situaciones con sensatez. La consecuencia del pensamiento inconsciente es que influye «inconscientemente» en tus hábitos alimentarios. Identificar la presencia de estos pensamientos deformados en tu mente constituye el primer paso para liberarse de su poder.

Quienes comen inconscientemente suelen desarrollar pautas de pensamiento extremas, algo similar a un camión atorado en el fango. Cuanto más haces girar la rueda en la misma dirección, más se hunde. La lógica de los «comedores» inconscientes está a menudo influenciada por percepciones sesgadas que se repiten hasta la saciedad. Por el contrario, quienes siguen «La Senda Media» desarrollan pensamientos temperados y moderados, en el presente, sin juicios y tolerantes.

Los apartados siguientes describen nueve tipos de pensamiento inconsciente, y también cómo los abordaría «La Senda Media»:

1. *Pensamiento extremo*: consiste en pensamientos de «esto o aquello» que no dejan espacio para un terreno intermedio. *Ejemplos:* «Soy perfecto o un fracasado», «Soy guapo o feo». La Senda Media diría: «No puedo sentirme satisfecho de todos los aspectos de mi cuerpo, pero no soy feo. Hay muchas cosas que me gustan de mi cuerpo y de cómo soy. Otras no».

2. *El peor de los escenarios*: es un hábito mental de sobregeneralización del resultado potencial de una situación. *Ejemplo:* «Si me como esta galleta, engordaré 10 kilos y nadie volverá a salir conmigo nunca más». La Senda Media diría: «Si me como esta galleta no engordaré. Estoy intentando comer moderadamente para sentirme mejor conmigo mismo. Gusto a la gente por muchas otras razones además de mi cuerpo».

3. *Generalización*: consiste en hacer extensivas afirmaciones de una sola aplicación a diferentes situaciones. *Ejemplo:* «Los gordos son unos perezosos». La Senda Media diría: «Tener sobrepeso no guarda ninguna relación con mi energía o mi personalidad. Es un pensamiento inconsciente».

4. *Convertir lo micro en macro*: este hábito mental confiere una cuestión una importancia de proporciones gigantescas. *Ejemplo:* «Si vomito otra vez, mi vida será un desastre». La Senda Media diría: «No me gusta vomitar la comida. Lo paso mal, pero después me siento mejor».

5. *Pensamientos «abracadabra»*: son creencias supersticiosas que parecen poseer poderes especiales. *Ejemplo:* «Si corro 3 km al día, no engordaré».

La Senda Media diría: «El peso que pierdo depende de múltiples factores. Quiero hacer ejercicio para estar en forma».

6. *Pantallas*: se produce cuando ignoras información importante. *Ejemplo:* «No veo síntomas de problemas físicos; el médico debe de haberse equivocado. Como moderadamente y no me perjudica lo más mínimo». La Senda Media diría: «Sé que la alimentación desequilibrada no es buena para mi cuerpo, y aunque me sentí disgustado cuando me lo dijo el médico, soy consciente de que una alimentación insana puede tener efectos perjudiciales a largo plazo y sé cuáles son las consecuencias».

7. *Infravalorar*: son pensamientos que quitan importancia o relevancia a una situación. *Ejemplo:* «Todos miran mi cuerpo y se ríen de mí». La Senda Media diría: «Estoy exagerando. Ahora me siento bastante vulnerable. Una mirada es sólo una mirada».

8. *Teorías aleatorias*: son teorías desarrolladas a partir de pensamientos culpables. *Ejemplo:* «Si vomito la comida, me sentiré aliviado. De manera que si sigo vomitando, nunca volveré a sentirme mal». La Senda Media diría: «Hay otras muchas cosas además de vomitar que me ayudan a sentirme a gusto».

9. *Sin apoyo*: son suposiciones que se hacen sin evidencias concretas que las respalden. *Ejemplo:* «A la gente le gustan las personas delgadas y que hacen mucho ejercicio». La Senda Media diría: «Me gustaría que fuera verdad, porque me ayudaría sentirme mejor. Sin embargo, personal-

mente no me gustan todas las personas delgadas y que hacen ejercicio. Así pues, no es cierto».

Técnica: Observar y curar los pensamientos inconscientes

Identifica los tipos de pensamiento inconsciente que practicas a menudo, y cuando pienses de alguna de estas formas di: «Éste es un buen ejemplo de "pensamiento extremo" o [llena el espacio en blanco _____] y está influyendo en mi forma de comer». Luego pregúntate: «Si siguiera La Senda Media, ¿cómo expresaría este pensamiento?».

40

Pensamientos imparciales

Tal vez te sorprenda saber que etiquetas y clasificas la mayor parte de tus comportamientos alimentarios. Evidentemente, las etiquetas negativas y autocríticas son perjudiciales, pero frases positivas tales como: «Estoy comiendo bien» o «Soy un campeón; he resistido la tentación a comerme las patatas fritas» también son poco recomendables. Cualquier palabra con connotaciones placenteras o críticas te desvía de una alimentación consciente. Las palabras positivas y negativas refuerzan o castigan, lo cual puede aumentar o disminuir la probabilidad de un comportamiento recurrente.

Resistirte a una bolsa de patatas fritas puede ser un ejemplo de alimentación consciente o inconsciente dependiendo de una diversidad de factores, tales como el apetito que tienes o si te las comes en una fiesta o celebración especial. Un mismo alimento puede ser considerado «bueno» en una situación y «malo» en otra. La clave de la alimentación consciente es evaluar correctamente si el alimento que te planteas comer es el que necesitas (y quieres) en ese momento sin emitir juicios.

La alimentación que no se evalúa como «buena» o «mala» es «neutra», y por lo tanto tiende a deslizarse fuera de nuestra conciencia. Las frutas y verduras son, a menudo, alimentos neutros. Comer una manzana suele producir pocas o ninguna emoción. Si te la comes conscientemente, es más probable que pienses en lo jugosa, crujiente y ácida que es y no en tus propios sentimientos derivados de comértela. Estas experiencias «neutras» relacionadas con la comida demuestran claramente que es posible comer sin experimentar sentimientos de vergüenza o culpabilidad.

Técnica: Piensa en la comida con imparcialidad

Piensa e identifica los alimentos que suelen escapar a tu conciencia cuando los comes. Si prestas atención a cómo clasificas los alimentos: buenos, malos o neutros, te demostrará que tus juicios acerca de la alimentación y tus emociones están estrechamente relacionados. Procura pensar en la comida de una forma imparcial y sin juicios.

41

Imaginación consciente

Imaginar un resultado positivo es esencial para cambiar cualquier comportamiento. Con frecuencia, las personas se atoran inconscientemente en una expectativa de fracaso. Según el principio psicológico de las «profecías autorrealizadoras», tu comportamiento te conduce sin que te des cuenta por un camino que te llevará a lo que estás esperando. Si esperas fracasar, actuarás inconscientemente de formas que propicien el fracaso, y lo contrario es igualmente válido. Si esperas triunfar, la imaginación puede ayudarte a conseguirlo.

Usando la imaginación puedes retroceder, alejarte de la experiencia y visualizar un resultado deseable. En palabras de Buda: «Es capaz de pensar que es capaz», una técnica que valora el poder de los pensamientos positivos.

Técnica: Imaginación guiada

Elige un ejemplo de alimentación inconsciente con el que te enfrentes a diario, como por ejemplo salir a cenar, una experiencia en la que mucha gente «espera» fracasar. La imaginación guiada puede ser útil para anticipar los sentimientos difíciles de afrontar, además de orientarte para identificar más fácilmente los factores que amenazan tu conciencia.

Respira lenta y profundamente, inspirando y espirando rítmicamente. Cierra los ojos y continúa respirando a partir del diafragma. Imagina que te diriges a tu restaurante italiano favorito. Al entrar empiezas a captar deliciosos olores a ajo y especias. Se te hace la boca agua. Inspíralos y espíralos. Concéntrate en la respiración y los sentidos. Relájate. Mira el restaurante e imagínate sentado a una mesa. El mantel es a cuadros rojos y blancos. Hay una vela larga embutida en una botella de vino vacía. Observa el parpadeo de la llama. De fondo suena una suave música italiana. Presta atención a lo que sientes y manténte en contacto con todas las sensaciones que estás experimentando.

Llega el camarero y te da el menú. Al abrirlo, déjate llevar por los sentimientos. ¿Qué te indican? Nómbralos. Lees el menú en busca de algo que te apetezca. ¿Qué pensamientos acuden a tu mente? Etiquétalos. ¿Qué sensaciones fluyen de tu conciencia? ¿Te sientes abrumado por las opciones del menú o culpable por desear determinado plato? Concéntrate en tus sentimientos y tu respiración.

Ahora imagina la comida que quieres llegando a la mesa. Examina el plato que has encargado. Describe el olor, la textura y el sabor. ¿Qué sensación te produce en la boca, la lengua, los dientes y los labios mientras se desliza hasta el estómago? Imagina que lo estás comiendo con todas tus técnicas conscientes: observando, aceptando, sin emitir juicios y consciente de cualquier posible apego al pensamiento de fracaso. ¿Cómo le sienta a tu organismo? Déjate llevar por cada emoción que aflore en ti. Nombra las emociones.

42

Realismo consciente

La conciencia te anima a comer lo que te conviene para la salud y no lo que crees que es «correcto». No se esfuerza por conseguir un determinado resultado ni requiere cambios específicos. A menudo lo hacemos eligiendo un número como peso-objetivo. En realidad, no dicta nada que deberías o no deberías comer, pues implicaría una emisión de juicio. Así pues, sospecha de las dietas que aseguran ser la «única» forma de perder peso. Existen muchas estrategias para controlar los hábitos alimentarios. Las dietas grasas «garantizan» lo que es «bueno» comer, pero por desgracia todas se contradicen. Asimismo, es fácil pensar más acerca del resultado futuro de una alimentación consciente que en lo que te ayudará a comer conscientemente. Si pasas muchísimo tiempo fantaseando acerca de tu peso «ideal», pregúntate también si puedes soportar los cambios drásticos a los que deberás enfrentarte o qué deberás hacer para alcanzar tu objetivo. ¿Merece la pena el sufrimiento diario, las limitaciones en el estilo de vida y el estrés en el cuerpo perder un par de kilos?

Se puede utilizar cualquier estrategia que te ayude a comer conscientemente con tal de que sea nutritiva y realista. Si eliges dietas y alimentos que no te gustan o incompatibles con tu estilo de vida, simplemente no funcionan. El secreto está en conocerte bien. Esto te ayudará a identificar lo que es «seguro», «asequible» y «pragmático».

Stacy, por ejemplo, se había enfrentado a problemas de alimentación durante más de diez años, consumiendo comida-basura a diario. Principalmente lo hacía a causa del aburrimiento y la soledad. Independientemente de las numerosas dietas e intentos en sesiones de terapia, cuando empezaba a comer, era incapaz de salir de la cocina. Un día, mientras estaba atiborrándose de dulces, su perro Mickey, su compañero de toda la vida, éste se sentó a sus pies mirándola. Según cuenta Stacy, sus ojos le estaban diciendo: «¿Por qué te estás haciendo esto? Cuido de ti y no quiero verte así». En aquel momento, Stacy dejó de comer, salió de la cocina y salió de paseo con su mascota. De camino se concentró y meditó en el sentido de paz que sentía. A partir de aquel día, cada vez que sentía la urgencia de picotear tentempiés, salía a la calle con Mickey. Te aconsejo que no lo busques; no encontrarás ningún método documentado de «Pasea a tu perro» para controlar la alimentación. Pero a Stacy le dio resultado.

Los comportamientos conscientes se hacen evidentes cuando te concentras menos en los objetivos y los «debería» o «no debería» críticos y más en una conciencia que funcione.

Técnica: Tus mitos personales de alimentación

1. Haz una lista de tus mitos de alimentación, comportamientos que crees que «deberías» hacer. Por ejemplo, un mito es que los dulces son «malos» y deberías evitarlos a toda costa. Después de enumerar lo «correcto» e «incorrecto», transfórmalo en actitudes realistas y que

probablemente den resultado. Una postura más realista en este ejemplo podría ser que comer demasiados dulces es insano, pero ocasional y moderadamente, a modo de postre, es pragmático, asequible y realista.

2. Es importante consultar a un nutricionista los mitos de alimentación. Cuando incurres en una alimentación inconsciente, puede ser difícil saber si tus conocimientos acerca de la nutrición son correctos o están sesgados. Una mujer se sentía muy culpable después de comerse un cuenco de zanahorias. Lo consideraba comer demasiado. Aunque las zanahorias son hortalizas saludables, un «pequeño cuenco» de algo parecía no serlo. Su mente había perdido la capacidad de observar su comportamiento desde una perspectiva realista.

3. También puede ser necesario recabar una segunda opinión, ya que suele existir mucha desinformación acerca de la nutrición y esta desinformación nos afecta a todos. Por ejemplo, una muy común es que todas las grasas son perjudiciales, cuando lo cierto es que algunos tipos de grasa en la dieta son esenciales para la salud: protegen los órganos internos, transportan las vitaminas, propician la formación de hormonas, proporcionan energía y contribuyen al desarrollo de determinadas partes del cerebro y el sistema nervioso, funciones, todas ellas, vitales.

43

Adaptación consciente

Conciencia no significa intentar cambiar, sino que, a medida que vayas familiarizándote más contigo mismo, los cambios se producirán naturalmente de formas positivas y sintonizarán con tus necesidades físicas y emocionales. Cuando comprendas y estés en sintonía con las respuestas de tu cuerpo a la alimentación que recibe, la adaptarás de una forma natural. No introduzcan cambios drásticos en tu dieta. Hazlo gradualmente, paso a paso. Cambiar un solo comportamiento puede tener un enorme impacto general en el organismo.

Aprender a ser consciente es una forma de pensar que se desarrolla con el tiempo. En lugar de decir que una tarea se ha hecho «bien» o «mal», considérala como «competentemente» o «incompetentemente». Esto pone de relieve las capacidades individuales y reconoce que lo que es correcto para una persona puede no serlo para otra. Asimismo es esencial recordar que aprender a comer conscientemente es un «proceso» gradual que se puede asimilar a la obtención de cinturones de sucesivos colores en las artes marciales. La técnica aumenta paulatinamente. Se empieza con el cinturón blanco y luego, paso a paso, se van consiguiendo los demás colores. El cinturón negro es el objetivo que indica maestría, pero el principiante debe recorrer lentamente las diferentes etapas (distintos colores) antes de alcanzarlo.

Técnica: Práctica consciente

Ser consciente requiere tiempo y práctica. Debes realizar un esfuerzo consciente para descubrir la forma en que interactúas subconscientemente con el mundo que te rodea. No apresures la práctica. Tómate tu tiempo para comprender el verdadero significado de la conciencia. Puedes utilizar técnicas conscientes en cualquier acción, independientemente de cuán ordinaria sea.

Abre los ojos a experiencias que nunca antes habías imaginado. Elige una pequeña tarea, como por ejemplo fregar los platos, a menudo desagradable, y ralentiza el proceso. No pienses en ella como en un quehacer doméstico tedioso, sino como un momento en tu vida que no debes dejar escapar. Enamórate de las tareas mundanas en la vida, y cuando empieces a practicar técnicas de conciencia, piensa si las estás haciendo competentemente, definiendo tú mismo lo que este concepto significa para ti.

44

Comidas equilibradas

La concentración es indispensable para alcanzar la conciencia. Buda identificaba cinco «obstáculos» que con frecuencia bloquean el pensamiento: codicia, pereza, falta de voluntad, preocupación y duda. Estos estados nublan y complican la atención. Uno de los «obstáculos» más comunes para una alimentación simple y placentera es el desequilibrio en las pautas alimentarias.

Vicky, por ejemplo, cayó en un ciclo vicioso de saltarse el desayuno y luego comer excesivamente a la hora del almuerzo. La eliminación de la ingesta calórica por la mañana sólo le servía para tener un hambre voraz a mediodía. Y en el almuerzo elegía los alimentos incontroladamente, creyendo que había «espacio» suficiente para llenar el vacío de calorías que no había ingerido por la mañana. Como resultado, acababa tomando más calorías de las que habría ingerido de haber desayunado adecuadamente y almorzado moderadamente.

A medida que se desarrollan las pautas de alimentación, el peso tiende a estabilizarse o a disminuir como consecuencia de la incorporación de nuevas pautas coherentes de alimentación consciente. No incurras en el error de pensar que comiendo con regularidad o siguiendo un plan de comidas estructurado aumentarás de peso. Procura hacer tres comidas al día y tomar dos tentempiés entre las comidas, sin dejar pasar más de tres horas entre uno y otro. Planifica tus comidas con sensatez, sencillez y realismo, incorporando la mayor cantidad posible de «alimentos conscientes» en la rutina diaria.

Técnica: Planificación alimentaria consciente

• Come un mínimo de tres veces al día. Desayuna y toma ligeros tentempiés. Es importante para llenar el «depósito» de combustible de tu coche. Sin gasolina, no arrancará, ni tampoco tú. Si sientes la necesidad de llevarte algo a la boca pero en realidad no tienes hambre, bebe agua fría. Sórbela lentamente. Elige agua mineral y siente el burbujeo en la lengua. Compra agua aromatizada o enriquecida con vitaminas.

• Come algo ligero cada tres horas para evitar la tentación de picotear tentempiés constantemente.

• Los vegetarianos son buenos ejemplos de personas que saben elegir los alimentos conscientemente, adaptando su relación con la comida de una forma coherente y continuada. Si eres vegetariano, recuerda que las proteínas, vitaminas y minerales son esenciales para el organismo. Presta atención a las señales de tu cuerpo; podrían indicarte la necesidad de ingerir más proteínas, calcio u otros oligoelementos.

• Si no eres vegetariano pero dices que lo eres, sé sincero y busca la causa. En ocasiones, las personas se esconden detrás del término «vegetariano» como una forma de reducir la ingesta de calorías. Otras, en cambio, no cuestionan su rechazo de determinados alimentos de un modo tan manifiesto. Si alguien te pregunta por qué te has convertido en vegetariano, presta atención a tus sentimientos y reacciones interiores. No te escondas detrás de este estilo de vida.

• Si te apasiona el café, el té o las bebidas con cafeína y sueles tomarlas durante el día, estáte alerta. Observa tus niveles de energía, piensa en si estás utilizando la cafeína como un sustituto de la comida y plantéate la necesidad de obtener la energía a través de una buena alimentación.

• Aunque todos necesitamos vitaminas, es preferible ingerirlas de una fuente de alimento natural, que incita al organismo a aprovecharlas de la mejor manera posible. Cuando salivas en respuesta a la comida, es una indicación de que tu cerebro sabe lo que vas a suministrarle y envía un mensaje al cuerpo. El cerebro no reacciona igual ante las vitaminas en píldoras. Es preferible tomar alimentos integrales que tomar suplementos vitamínicos, ya que en el primer caso, todo el cuerpo participa de la experiencia.

• Planifica las comidas del día. Piensa, a modo de guía, en lo que prepararías para otra persona.

• Cuando estés hambriento, come algo caliente. A menudo, los alimentos calientes llenan más y estimulan mejor las sensaciones internas que los fríos.

• Evita los alimentos que se comen con los dedos. Es más fácil atiborrarse o picotear tentempiés constantemente, pues sesgan la percepción del tamaño de la porción.

• Si te apasionan los tentempiés, no compres alimentos que te inviten a comer en exceso, por lo menos al principio. Procura no tenerlos en casa ni en el lugar de trabajo. A medida que vayas tomando conciencia y controlando mejor tu alimentación, la presencia de estos tentempiés tan tentadores deberían de dejar de ser un problema. Sin embargo, al principio, ponte las cosas lo más fáciles posible. Si sientes la urgencia de comer y tienes tentempiés a mano, «sal de la habitación» durante diez o veinte minutos. Cambia de entorno.

• Consulta a un especialista en nutrición para que te informe de los grupos de alimentos básicos (proteínas, lácteos, frutas, verduras y cereales). Esto te ayudará a realizar un plan de alimentación saludable. Acude a una fuente de información fiable y haz caso omiso de las revistas de moda.

• Evita las drogas y el alcohol. Incrementan tu vulnerabilidad a la alimentación inconsciente. El alcohol proporciona una abundancia de calorías y reduce la capacidad de describir y observar las sensaciones corporales. Tanto el alcohol como las drogas alteran y sesgan la precisión, claridad y pureza de la sensación necesaria para disfrutar de una alimentación consciente.

• Evita la cafeína tanto como las drogas y el alcohol. Demasiada cafeína puede interferir en las percepciones y la capacidad para pensar con claridad.

45

No te desvíes del camino y sigue adelante

«Cae siete veces y levántate otras ocho», dice un proverbio budista acerca de la resistencia, persistencia y capacidad de recuperación. Si lees las biografías de algunos multimillonarios y triunfadores en la vida, sus historias son muy similares. Todos sufrieron espectaculares reveses o «fracasos». Por ejemplo, Milton Hershey, el fundador del chocolate Hershey, quebró varias veces antes de amasar su fortuna. La única cualidad que distingue a estas personas de las demás y que contribuyó a su éxito final, fue la capacidad de aceptar la pérdida y el sufrimiento, y aprender de la experiencia para ponerse de nuevo en pie y seguir adelante con un renovado impulso. De un modo parecido, la alimentación consciente requiere práctica, y al principio es posible que no siempre tengas éxito. Sin embargo, si insistes en comer conscientemente, triunfarás.

Como dijo Buda: «Una jarra se llena gota a gota». Dicho de otro modo, la alimentación consciente es un viaje continuado que requiere una enorme dosis de persistencia. Potencialmente, sanar tus hábitos alimentarios podría ser una actividad de por vida. Asimismo, sé consciente de que independientemente de lo bien que controles la conciencia, será imposible escapar a un impulso inadvertido de alimentación inconsciente o a la recaída ocasional en los viejos hábitos de infraalimentación. Los donuts en el trabajo, la pizza a domicilio o una comida que provoca sentimientos de culpabilidad te tentarán de vez en cuando a recuperar un estado de ánimo de autoindulgencia. Pero lo importante es que cuando esto ocurra, no caigas en la clásica actitud de «¡Qué desastre! ¡Lo he echado todo a perder!».

Considéralo como un desafío. Ocurrirá. Y a decir verdad, si estos momentos problemáticos no se presentan, podría ser incluso una mala señal. En ocasiones necesitas comer inconscientemente para restablecer el contacto con la alimentación consciente. Una ingesta inconsciente te recordará los beneficios de comer bajo control. Piensa en la alimentación inconsciente como en un charco de agua en el camino. Debes seguir caminando. Piensa en ello como si hubieras emprendido un viaje sin un destino específico. Como dijo Buda: «Si vamos en la dirección correcta, todo cuanto queda por hacer es seguir caminando».

Técnica: Déjate llevar ocasionalmente por la alimentación inconsciente

Si sufres un «desliz», sé tolerante contigo mismo y sigue adelante. No pienses en el pasado, no te lamentes ni te sientas culpable. Y lo que es más importante, no intentes «ignorar» el incidente. Carece de sentido. Simplemente te desviaste del camino. Ocurrió. Acéptalo y continúa. Puedes usar la experiencia para examinar conscientemente cada sensación y empezar de nuevo desde el punto en el que cediste a la debilidad. Puedes sufrir varios, incluso muchos deslices, durante el camino hacia una alimentación consciente. Toma conciencia de lo sucedido y sigue adelante.

46

Escucha a tu «yo» crítico interior

La alimentación inconsciente puede desencadenarse a partir de un discurso interior malicioso y enjuiciador. Estos pensamientos «evaluadores» acerca de lo que puedes haber comido son algo así como los comentarios de un informador deportivo durante los últimos segundos de un partido. En lugar de observar lo que realmente está sucediendo, el informador suele describir errores de una forma disparatada y enjuiciadora, manifestando cómo «hubiera» tenido que jugar el equipo perdedor para alzarse con la victoria. De igual modo, tu «yo» crítico interior podría realizar comentarios sobre lo que «deberías» y «no deberías» comer. La crítica puede destruir la experiencia y el disfrute de la comida.

«No puedo creer que haya comido esto. Estoy tan gordo...» es un ejemplo de la dureza con la que una persona puede hablarse a sí misma acerca de su comportamiento. Presta atención a tu interior y fíjate en lo que dices y piensas de ti mismo. Cuando empieces realmente a escucharte, descubrirás cuán a menudo realizas declaraciones falsas, despreciativas y perjudiciales de ti mismo. Evaluarte puede llevarte a pensar: «Soy una persona detestable; siempre estoy "picoteando" comida-basura», o «He vomitado otra vez. Esto demuestra que no tengo fuerza de voluntad». Estas afirmaciones enjuiciadoras son perniciosas por diferentes razones, pero principalmente porque, al pensar así, tus sentidos se desvían de la plena experiencia de comer. Este tipo de pensamientos son especialmente peligrosos cuando dejas que te susurren y se repitan subconscientemente. Sé consciente del impacto que pueden tener en ti.

Con frecuencia la gente cree erróneamente que los juicios hipercríticos controlan y limitan la alimentación inconsciente, mostrándose reacios a prescindir de los «consejos» del «yo» crítico interior como única forma de mantener el control. Ese «yo» crítico es un maestro en inducir vergüenza, sentimientos de odio hacia uno mismo, culpabilidad y sufrimiento, y aunque parezca irónico, estos sentimientos son los principales instigadores de una alimentación inconsciente en lugar de detractores.

Técnica: Silenciar el «yo» crítico interior con compasión

Practica la conversación contigo mismo de una forma positiva y receptiva. La conversación interior es esencial para cualquier tipo de comportamiento consciente, incluyendo la alimentación. Muéstrate compasivo contigo. Los comentarios verbales negativos inhiben tu capacidad de saborear, oler y gozar de la comida en el momento presente. Cuando te concentras más en los pensamientos críticos que en la experiencia de comer, lo haces inconscientemente. Escucha detenidamente lo que te dices y examina cómo influye en lo que comes. Buda dijo: «El elogio y la culpa, ganar y perder, el placer y la tristeza van y vienen como el viento. Para ser feliz, descansa como un árbol gigante en medio del mundo».

Siéntate, inmóvil, y mira a tu interior. Céntrate. Piensa en una dificultad con la alimentación que te ha preocupado recientemente. Cuando habla tu «yo» crítico interior, ¿qué dice? ¿Se lamenta, susurra, grita, te impulsa o se muestra sarcástico? Deja que surjan los pensamientos y toma conciencia de ellos. No te juzgues por esos pensamientos; limítate a reconocer el contenido y el tono de tu conversación contigo mismo. Sé consciente del impacto emocional y corporal negativo de las palabras. Piensa en la forma intoxicante y dura con la que el discurso interior perjudica tu capacidad de degustar y disfrutar de los alimentos que aseguran tu supervivencia.

¿Quién puede ayudarte a comer conscientemente?

Dominar la alimentación consciente no es tarea fácil. Cuanto más difícil sea para ti cambiar tus pautas de alimentación y tu estado mental, más probable es que pudieras beneficiarte de una asistencia profesional. Aunque la familia y los amigos pueden resultar extremadamente útiles en este sentido, en ocasiones hablar con ellos de cuestiones relacionadas con el peso es complicado. Cuando comentas tus temores y preocupaciones acerca de tu peso, a menudo les resulta difícil distanciarse lo suficiente de sus propios miedos y ansiedades relacionados igualmente con el peso como para prestar una detenida atención a lo que estás diciendo.

Si eres incapaz de cambiar tus hábitos alimentarios por ti mismo o si reflexionar sobre las cuestiones que subyacen debajo de los problemas de alimentación te provoca reacciones emocionales abrumadoras, es importante buscar ayuda profesional. Un profesional puede evaluar qué otros factores conviene abordar. Acude a un psicólogo, psiquiatra, médico, enfermera o nutricionista. Disponer de un equipo de profesionales es muy recomendable, ya que cada uno está especializado en un aspecto de la mente, el cuerpo, los pensamientos y sentimientos que, combinados, pueden conducir a un tratamiento general. El médico es especialmente valioso en estos casos, ya que algunas personas necesitan antidepresivos u otros fármacos. Las opciones son diversas, incluyendo el tratamiento hospitalario para quienes requieren toda su atención.

La fluctuación en la ingesta calórica tiene consecuencias complejas en la mente y el cuerpo. Puede interferir en la concentración. Un profesional te dirá cómo recuperarla. Es fundamental buscar ayuda adicional si tienes problemas de estado de ánimo o de drogas o alcohol, y también si has pensado en alguna ocasión en el suicidio, has experimentado una repentina y considerable pérdida de peso, síntomas físicos o acciones impulsivas. Es probable que estos síntomas inhiban gravemente la alimentación consciente a causa de las exigencias emocionales.

Básicamente, la ayuda asistencial es una forma de romper con las pautas «atoradas» de pensamiento. Contribuye a articular tus sentimientos acerca de la comida y a identificar pautas y conectar los puntos entre los eventos significativos de tu vida. Como psicólogo he orientado a muchas personas en su camino hacia la superación de una amplia gama de trastornos de alimentación, y me siento honrado por su confianza y por haberme permitido ayudarlas a combatir este difícil problema.

Cuando pienso en mi propio rol como psicólogo y consejero, me imagino como un instructor de paracaidismo. Voy pegado a la espalda del saltador con un paracaídas extra por si el suyo no se abriera. Dejo que sea él quien decida cuándo va a saltar y cuándo quiere abrir el paracaídas. No dejaré que impacten en el suelo al aterrizar, pero siempre animo a mis pacientes a no perder el control. Tal vez tengas miedo; es normal tenerlo. Te lo digo para que comprendas que los profesionales como yo estamos para ayudar, no para juzgar, evaluar o asumir el control.

Alimentación consciente: en casos de urgencia

Ofrecer instrucciones específicas sobre lo que conviene hacer «en momentos difíciles» fue una razón muy importante para que escribiera este libro. Es habitual que mis pacientes se familiaricen con los orígenes y el significado de sus problemas de alimentación cuando empiezan a comer conscientemente. No obstante, la queja es siempre la misma: «¿Qué debo hacer cuando la situación se hace insoportable?». A continuación analizaremos algunas situaciones que podrían ayudarte. Consulta de nuevo las cuatro partes del libro si deseas una descripción más ampliada de cada técnica.

Situación 1
Ayuda en caso de sobrealimentación inconsciente

Llevas sentado, solo, en tu escritorio durante varias horas trabajando en un proyecto. Empiezas a pensar en la tableta de chocolate que guardas en el cajón inferior. De inmediato olvidas lo que estabas haciendo y sólo puedes pensar en el chocolate. Tiempo atrás, abrir el cajón y comértela te había conducido a un proceso de alimentación inconsciente.

Pasos que seguir

1. *Meditación consciente*: empieza a meditar «en el momento», deja de hacer lo que estabas haciendo (suelta el bolígrafo, desconecta el teléfono, etc.) y dedica toda tu atención a esta situación.

2. *Respirar y comer*: relájate y realiza un ejercicio de respiración. Concéntrate y toma conciencia de tu cuerpo y del entorno. ¿Qué te indica tu respiración acerca de cómo te sientes? Presta atención a tu respiración para recuperar el equilibrio y aumentar la conciencia.

3. *Hambre consciente*: pregúntate: «¿Realmente tengo hambre?». Sé consciente de las señales físicas y lógicas que te ayudarán a decidir si lo estás o no. ¿Cuándo comiste por última vez? ¿Qué te está diciendo tu cuerpo? Si la respuesta es «No, no tengo hambre», reflexiona sobre tus sentimientos. ¿Estás aburrido de trabajar o ansioso por el proyecto que tienes entre manos? ¿Qué tal va? ¿Qué otra cosa podrías hacer para aliviar lo que sientes? ¿Tal vez levantarte y dar un paseo? ¿Estás anquilosado a causa de las horas que llevas sentado? ¿Necesitas hacer estiramientos?

4. *Ansias conscientes*: si la respuesta es «Sí, tengo hambre», piensa en las alternativas. Identifica lo que deseas comer y qué cantidad necesitarías para sentirte satisfecho.

5. *Alerta «consciente»*: sintoniza con todos tus sentidos mientras comes y manténte en contacto con el pro-

ceso de comer y las reacciones de tu cuerpo frente a la comida.

6. *Actividad consciente*: medita acerca de lo que está ocurriendo a tu alrededor. ¿Qué otra cosa podría «saciarte» además de la comida? Si estás aburrido, ¿necesitas un descanso? ¿Te ayudaría llamar a un amigo o conversar durante unos minutos con un compañero de trabajo? Haz un plan.

7. *Imaginación consciente*: sabes que, en el pasado, comer chocolate ha desencadenado una oleada de imparable picoteo de tentempiés. Imagina un enorme rótulo de autopista negro y amarillo de «PELIGRO» bloqueando el asa del cajón del escritorio. Visualiza y concéntrate en esa imagen.

Situación 2
Ayuda en caso de infraalimentación inconsciente

Has estado intentando perder peso y para ello te has saltado el desayuno esta mañana. Te gruñe el estómago y estás empezando a sentirte un poco mareado. Aunque desearías comer algo, te viene a la cabeza un reguero de pensamientos: «Estás demasiado gordo como para comer». Luchas entre prestar atención al estómago y la voz enjuiciadora que bulle en tu mente.

Pasos que seguir

1. *Conciencia de tu cuerpo*: si te gruñe el estómago, piensa en ello como un gigantesco rótulo de neón rojo parpadeando «Necesito comida». Cuando el estómago

hace ruiditos, significa que lleva esperando demasiado, incrementando el riesgo de una alimentación inconsciente. Deja la tarea que estabas haciendo y concéntrate completamente en las señales físicas que te envía el cuerpo. Sé consciente y observa, prestando atención a las sensaciones que percibes para cuando la situación vuelva a repetirse. Te permitirán saber si realmente tienes o no hambre. Respira profundamente.

2. *Meditación consciente*: ¡no saltes por la borda! Reflexiona y haz un plan pensando en lo que sería bueno para tu cuerpo y lo que necesitas en este momento. Conecta con tu cuerpo y dedica unos minutos a mirar en su interior y comprender lo que realmente necesita. Observa tus pensamientos tal como se describe en la Técnica 16.

3. *Conversación consciente*: escucha los comentarios en tu mente y evalúa tus pensamientos y sentimientos a medida que tomas conciencia de ellos. Cuando se produzcan, etiquétalos como «un simple pensamiento» o «un simple sentimiento». Si estás lanzando un ataque personal contra ti mismo, haz un alto el fuego y piensa en las consecuencias físicas y emocionales de tus acciones. Transforma el lenguaje enjuiciador en palabras relajantes y serenas. Háblate.

4. *Sé compasivo*: habla con amabilidad contigo mismo. Imagina lo que le dirías a otra persona en una situación similar. Si tienes dificultades para mostrarte autotolerante, llama a alguien que pueda serlo. Si evitas la crítica, observarás la situación con una postura abierta y consciente.

5. *Conciencia de las emociones*: examina el contexto más amplio de lo que está sucediendo en este preciso

instante. Evidentemente tienes hambre, pero ¿qué otras cosas están pasando en tu interior? Observa el entorno. «Avanza y retrocede» como en la Técnica 27 («Adelante y atrás»). Piensa primero en el momento presente y luego medita profundamente en tus sentimientos en los instantes anteriores. ¿Qué ha desencadenado esta lucha?

6. *Aceptación del «yo»*: comer puede inducir múltiples sentimientos negativos acerca de ti mismo y de tu cuerpo. Debes aceptar el cuerpo tal cual es. Sólo tú puedes hacerlo. No es necesario que te gusten todos los aspectos de tu cuerpo para respetarlo y tratarlo bien. Piensa en cómo la comida beneficiará a las funciones orgánicas. Desaparecerá el dolor de cabeza. Imagina la circulación de los alimentos una vez en tu interior.

Situación 3
Ayuda en caso de alimentación caótica inconsciente

Un grupo de amigos se reúnen una noche en casa para ver un vídeo y comer una pizza con tus ingredientes favoritos. Cada cual se sirve varias porciones, lo cual te invita a comer más que de costumbre. Cuando se marchan, no tienes hambre, pero comes otra. Empiezas a tener ganas de vomitar. Te has llenado demasiado. Demasiada pizza.

Pasos que seguir

1. *Viaje hacia una alimentación consciente*: cuando recaes en la alimentación inconsciente, puedes tener la terrible sensación de estar empezando de nuevo el viaje,

o incluso peor, de que te has desviado definitivamente del camino correcto. Pero no es verdad. Cuando hayas aprendido el significado de la conciencia, ya no lo olvidarás. Se trata simplemente de reaplicar principios. Llegados a este punto, necesitas perdonarte. La mayoría de la gente aboga por «perdonar y olvidar», pero la conciencia no actúa así, sino que urge a «perdonar y aceptar». No trates de ignorar tus sentimientos. Acéptalos.

2. *Conciencia de tu cuerpo*: sentirse demasiado saciado es una razón muy común por la que la gente siente la necesidad de provocar el vómito. Un enfoque mucho más positivo de abordar esta sensación tan desagradable es meditar y reflexionar. Piensa en los componentes emocionales de tus sensaciones corporales. Si estás en contacto con tus sentimientos, superarás mejor la situación la próxima vez.

3. *Conciencia de los sentimientos*: la urgencia de vomitar la comida es una forma rápida de tratar la ansiedad derivada de una ingesta innecesaria de calorías. Es importante ser consciente y meditar sobre lo que ha ocurrido durante la velada. ¿Qué sentimientos te impulsaron a comer inconscientemente, sobre todo cuando tus amigos ya se habían marchado? ¿Qué te incita a comer incluso cuando no estás hambriento? ¿Es una pauta?

4. *Conciencia de las consecuencias físicas*: el vómito está instigado por las emociones negativas que emergen cuando te das cuenta de que has comido inconscientemente. Provocar el vómito es peligroso. Al principio, con el vómito el individuo es más consciente de sus sentimientos negativos y de sus reacciones físicas, pero con el tiempo, desconecta con el malestar derivado del vómito y anticipa la sensación de sentirse me-

jor, relajado o aliviado por la evacuación de las calorías extra. Evalúa lo que el vómito provoca en tu cuerpo de una forma no enjuiciadora.

5. *Actividad consciente*: La necesidad de sentirse mejor rápidamente vomitando la comida es tentadora y en ocasiones parece difícil de controlar. De ahí que sea importante reenfocar la mente en otras cosas. Sal de casa, da un paseo, escucha música o visita a alguien. Busca una actividad relajante que te ayude a aliviar la ansiedad derivada de la desagradable experiencia.

Situación 4
Tentación: da un paso atrás

Imagina que estás en la cocina y que luchas contra la tentación de alcanzar la bolsa de galletas del estante. Piensas: «Sólo una». Ésta es una técnica que te ayudará a «dar un paso atrás» y meditar mejor tus decisiones. Es una buena táctica para examinar cualquier dilema difícil relacionado con la alimentación.

Pasos que seguir

1. *Paso atrás consciente*: visualízate retrocediendo ante una situación compleja. ¿Por qué es importante dar un paso atrás? Cuando estás estresado o agobiado, tiendes a conectar el «piloto automático», es decir, a comer o comportarte de la forma habitual. «Reaccionas» automáticamente en lugar de investigar la información pertinente. Retroceder ayuda a obtener, conscientemente, toda la información que necesitas para identificar una amplia gama de soluciones, respondiendo con un pensamiento

diligente en lugar de reaccionar como un robot. Identifica cuál sería tu «reacción típica».

2. *Conversación consciente*: describe en voz alta lo que te está ocurriendo interior y exteriormente. Usa detalles, descripciones e innumerables adjetivos. Confía en los sentidos: vista, oído, olfato, gusto y tacto. Recurre a puntualizaciones vívidas como si estuvieras describiendo la escena a alguien que tiene los ojos cerrados. *Ejemplo:* «Quiero una galleta. Estoy en la cocina delante del estante. Temo comer demasiado y terminarme toda la caja. Me siento nervioso y me tiemblan las manos. Sudo de ansiedad, doy vueltas de un lado a otro sin saber qué hacer».

3. *Aceptación consciente*: el «sexto» y más importante órgano sensorial es la mente. Describe lo que estás haciendo y pensando. Reflexiona acerca de la situación objetivamente sin incluir afirmaciones enjuiciadoras. No distorsiones la descripción con declaraciones del tipo «esto es bueno» o «esto es malo». Sé compasivo contigo mismo. *Ejemplo:* «Tengo mucha hambre y me siento frustrado. Es una situación muy difícil para mí. Sé que, en el pasado, esta clase de situaciones ha terminado haciéndome sentir muy mal. Es normal sentirse así».

4. *Pensamientos conscientes*: describe con claridad lo que deseas. Verbalizar es como traducir un texto en una lengua extranjera en tu propia lengua. Lee la situación, haz una pausa, descríbela con tus propias palabras. *Ejemplo:* «Quiero una galleta, pero no deseo comer demasiado. ¿Cómo me siento? ¡Fatal!».

5. *Planificación consciente*: describe tus alternativas. Considera cada posible situación. *Ejemplo:* «Podría tomar un tentempié, salir de la cocina, comer otra cosa,

comer una galleta y parar, llamar a alguien, ver la televisión o dar un paseo».

6. *Elección consciente*: describe tu elección. Toma una decisión. Visualízala. Imagina sus consecuencias. *Ejemplo:* «Sólo comeré una y saldré de la cocina para no comer más». Cierra los ojos y visualízate saliendo de la cocina.

7. *No cedas*: describe lo que no debes seguir haciendo. *Ejemplo:* «Es posible que no me sienta completamente saciado en este momento, pero me sentiré mejor cuando el ansia de comer vaya remitiendo».

Bibliografía

Alexander, W., *Cool Water: Alcoholism, Mindfulness and Ordinary Recovery*, Boston, Shambhala Publications, 1997.

Bourne, E., *The Anxiety and Phobia Workbook*, Oakland, New Harbinger Publishing, 1995.

Burns, D., *Feeling Good: The New Mood Therapy*, Nueva York, Avon Books, 1999 (trad. cast.: *Sentirse bien: Una nueva terapia contra las depresiones*, Barcelona, Paidós, 1990).

Carlat, D. J. y C. A. Carmargo, «Review of bulimia nervosa in males», *American Journal of Psychiatry*, n° 148, 1991, págs. 831-843.

Costin, C., *The Eating Disorder Sourcebook: A Comprehensive Guide to the Causes, Treatments and Prevention of Eating Disorders*, Los Ángeles, Lowell House, 1999.

Crow, S., B. Praus y P. Thuras, «Mortality form eating disorders: A 5 to 10 year record linkage study», *International Journal of Eating Disorders*, n° 26, 1999, págs. 97-101.

Gunarantana, B., *Eight Mindful Steps to Hapiness*, Boston, Wisdom Publications, 2001.

Hayes, S., K. Wilson y K. Strosahl, *Acceptance and Commitment Therapy: An Experiential Approach to Behavior Change*, Nueva York, Guilford Press, 1999.

Hendrix, H., *Getting the Love You Want: A Guide for Cou-*

ples, Nueva York, Henry Holt & Company, 2001 (trad. cast.: *Conseguir el amor de su vida*, Barcelona, Obelisco, 1997).

Kabat-Zinn, J., *Full Catastrophe Living: Using the Wisdom of Your Body and Mind to Face Stress, Pin and Illness*, Nueva York, Dell Publishing, 1990 (trad. cast.: *Vivir con plenitud las crisis: Cómo utilizar la sabiduría del cuerpo y de la mente para afrontar el dolor y la enfermedad*, Barcelona, Kairós, 2004).

Linehan, M., *Cognitive-Behavioral Treatment for Borderline Personality Disorder*, Nueva York, Guilford Press, 1993.

Marcus, M. y E. McCabe, «Dialectical Behavioral Therapy (DBT) in the Treatment of Eating Disorders», ponencia presentada en el International Conference of Eating Disorders and Clinical Teaching Days, Boston, 25 de abril de 2002.

Sandbeck, T., *The Deadly Diet: Recovering from Anorexia and Bulimia*, Oakland, New Harbinger Publications, 1993.

Smolak, L., M. Levine y R. Striegel-Moore, *The Developmental Psychopathology of Eating Disorders: Implications for Research, Prevention and Treatment*, Hillsdale, England Lawrence Earlbaum Associates, 1996.

Thich Naht Hanh, *Present Moment Wonderful Moment: Mindfulness for Daily Life*, Berkeley, Parallax Press, 1990.

Wiser, S. y C. Telch, «Dialectical behavioral therapy for binge-eating disorder», *Journal of Clinical Psychology*, n° 55, 1999, págs. 755-768.

Wolpe, J., *Psychotherapy by Reciprocal Inhibition*, Stanford, Stanford University Press, 1958 (trad. cast.: *Psicoterapia por inhibición recíproca*, Bilbao, Desclée de Brouwer, 1998).

Zerbe, K., *The Body Betrayed: A Deeper Understanding of Women, Eating Disorders and Treatment*, Carlsbad, Gurze Books, 1995.

Zindel, V., M. Segal, G. Williams y J. Teasdale, *Mindfulness-Based Cognitive Therapy for Depression*, Nueva York, Guilford Press, 2001.

MANUALES PARA LA SALUD

Títulos publicados